L'ART DU
Modèle Vivant

L'ART DU
Modèle Vivant

Jane Stanton

l'ÉTINCELLE
Montréal—Paris

L'Étincelle est une collection de SCE et de SCE-France

Directeur de collection: Robert Davies
Directrice artistique: Madeleine Hébert
Traduit par Jean-Noël Chatain

DIFFUSION

Canada: **Médialiv**
539, boul. Lebeau
St-Laurent, Québec H4N 1S2
Tél. [514] 336-3941

Belgique: **Presses de Belgique**
96, rue Gray
1040 Bruxelles
Tél. [2] 640-5881

France: **SCE-France**
70, avenue Émile Zola
75015 Paris
Tél. 45.75.71.27

Suisse: **Diffulivre**
41, Jordils
1025 St-Sulpice
Tél. [21] 691-5331

La maquette de couverture de ce livre a été réalisée avec le logiciel
Xerox Ventura Publisher et des polices de caractères
Bitstream® *Fontware*™ sur imprimante au laser.
Diffusion *Bitstream* en France: ISE CEGOS, Tour Amboise,
7e étage, 204 Rond-Point Pont de Sèvres, 92516 Boulogne.

TABLE DES MATIÈRES

INTRODUCTION

Puisque l'on se réfère toujours à sa propre expérience, il n'est guère surprenant que, depuis deux millénaires, une bonne partie des arts visuels aient représenté le corps humain. Outre qu'il s'agit de notre sujet de dessin le plus familier, les personnages, même s'ils ne sont qu'accessoires, donnent aussi une idée de l'échelle et des proportions d'un tableau.

Il n'existe pas plus instantané que le dessin pour saisir un sujet sur le vif ou l'étudier. L'apprentissage de cette technique s'avère fort utile, que vous choisissiez la figure ou un autre sujet.

Dans cet ouvrage, j'ai opté pour une approche réaliste du dessin de figures. Autrement dit, il ne s'agit *en aucun cas* d'un traité artistique visant la précision biologique.

Le dessin de figures se focalise évidemment sur la forme humaine et repose sur une bonne connaissance de l'anatomie. J'ai donc inclus quelques règles de base que je tiens pour essentielles. Mais je reste persuadée qu'en observant bien votre modèle, vous allez clairement comprendre comment les muscles et l'ossature donnent vie à un personnage. Cependant, une étude même approfondie de l'anatomie ne peut nous renseigner en totalité, chacun se différenciant d'autrui par sa taille et ses proportions. Enfin, la réussite d'un dessin réside dans l'observation attentive, la concentration et la pratique.

Une des meilleures façons de débuter consiste à s'inscrire à un atelier, ne serait-ce que pour étudier les modèles venant poser pour vous. Mais on ne dispose pas toujours d'un cours de dessin, on peut s'y sentir à l'étroit, et bon nombre de gens préfèrent dessiner chez eux, dans l'intimité. Que vous fréquentiez un atelier ou non, il est important

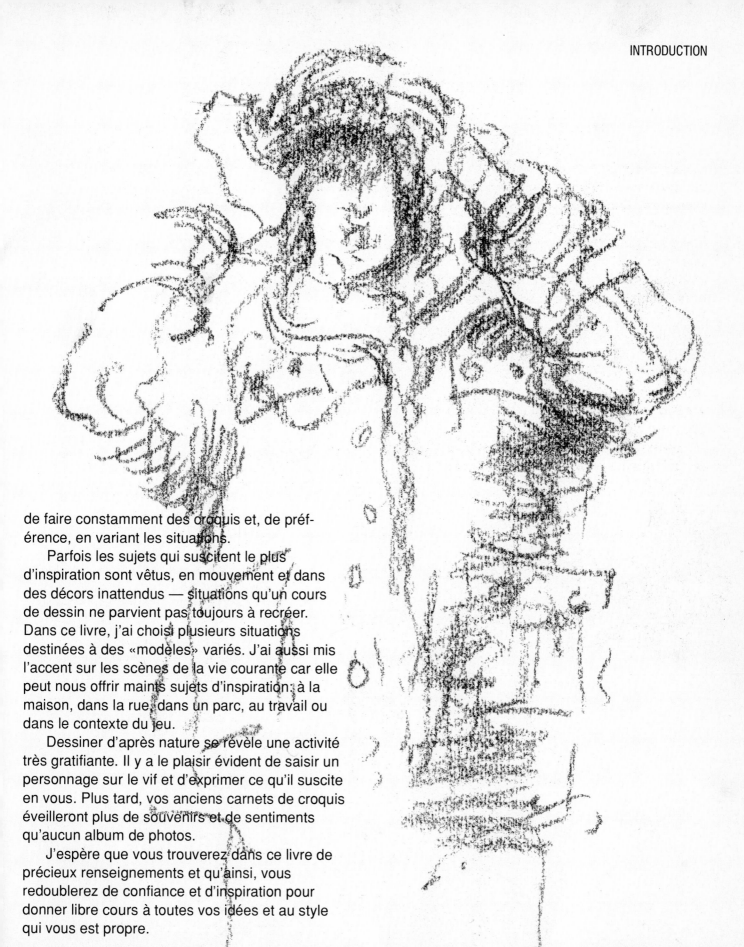

de faire constamment des croquis et, de préf-
érence, en variant les situations.

Parfois les sujets qui suscitent le plus
d'inspiration sont vêtus, en mouvement et dans
des décors inattendus — situations qu'un cours
de dessin ne parvient pas toujours à recréer.
Dans ce livre, j'ai choisi plusieurs situations
destinées à des «modèles» variés. J'ai aussi mis
l'accent sur les scènes de la vie courante car elle
peut nous offrir maints sujets d'inspiration: à la
maison, dans la rue, dans un parc, au travail ou
dans le contexte du jeu.

Dessiner d'après nature se révèle une activité
très gratifiante. Il y a le plaisir évident de saisir un
personnage sur le vif et d'exprimer ce qu'il suscite
en vous. Plus tard, vos anciens carnets de croquis
éveilleront plus de souvenirs et de sentiments
qu'aucun album de photos.

J'espère que vous trouverez dans ce livre de
précieux renseignements et qu'ainsi, vous
redoublerez de confiance et d'inspiration pour
donner libre cours à toutes vos idées et au style
qui vous est propre.

Jane Stanton

HISTOIRE

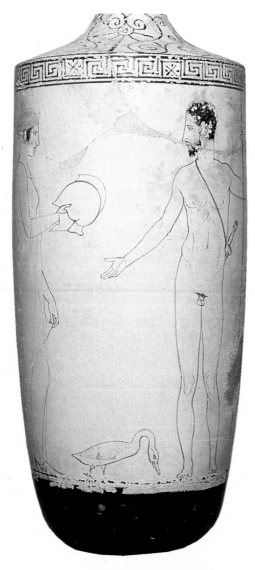

Peu importe la taille d'une figure sur un tableau, elle finira toujours pas susciter l'intérêt de l'observateur, car la forme humaine est l'image la plus familière, et celle à laquelle chacun peut immédiatement s'identifier.

Depuis toujours, l'homme a été obsédé par sa propre image lorsqu'il se dessinait en train de chasser, dans les cavernes et sur les rochers. Mais cette représentation était souvent stylisée et symbolique. Ce ne fut qu'à l'époque de la Grèce antique, au Vème siècle avant J.-C., que l'on considéra le corps comme un objet de beauté à part entière.

Les Grecs furent les premiers à représenter l'homme de façon réaliste même s'ils l'idéalisaient. Tout ce qu'il reste de ces images se retrouve dans les sculptures, la décoration, les céramiques et les fresques murales, mais elles influencent encore beaucoup l'art d'aujourd'hui.

Les concepts classiques de proportion et de perfection physique ont continué à influencer l'art romain, mais ont cessé d'exister à la chute de l'Empire. Ils n'ont réapparu qu'aux XIVème et XVème siècles, à la Renaissance, qui vit littéralement renaître le classicisme.

A la Renaissance, le dessin figuratif acquit ses lettres de noblesse, lorsqu'il s'agit de réaliser des études pour d'importantes peintures à l'huile exécutées sur commande. Les grands artistes dirigeaient d'immenses ateliers, où les modèles posaient à plein temps. Des peintres comme Rubens, Michel-Ange, Léonard de Vinci et Raphaël appartiennent tous à cette tradition. En général, les études étaient réalisées à la sanguine, puis perforées à l'aide d'épingles afin que la craie puisse, en traversant les trous, s'imprimer sur le support. Les traces en sont encore visibles sur les contours de ces études.

Il fallut attendre Rembrandt et le XVIIème siècle pour que le dessin d'après nature prît un caractère plus affiné et plus intime, offrant ainsi un contraste saisissant avec l'exubérance et la grandeur des grands maîtres italiens. Bon nombre des esquisses de Rembrandt, par exemple, furent réalisées par pur plaisir; y figuraient son épouse, son fils, des paysans et des mendiants, et d'autres personnages des plus ordinaires. Il travaillait sur de petits formats, utilisant la plume et l'encre ou le pinceau et le lavis. A l'instar des oeuvres des maîtres italiens, ces dessins résultaient d'une étude théorique intensive de l'anatomie.

D'aucuns soutiennent que les plus grands peintres de nu féminin furent ceux du XIXème siècle français. Ingres, par exemple, se révéla

Ci-dessus : <u>Les Trois Grâces</u> *par Raphaël (1483-1520). Sanguine dont la rythmique du trait est admirablement rendue. Observation et modelage parfaits de la plastique féminine.*

Ci-contre : *Dessin à la plume (d'oie) d'une paysanne, par Rembrandt (1606-69), dont la simplicité offre un contraste saisissant avec la sanguine de Raphaël ci-dessus. Son caractère s'avère plus réaliste avec une nuance de vigueur dans le trait.*

sans doute le meilleur dessinateur de son temps. Son habileté technique était étonnante et il tenait à une exactitude parfaite.

Ce souci du détail signifiait qu'après Ingres, la peinture française deviendrait académique et maniérée. A la fin du siècle dernier, les artistes réagirent contre une telle rigidité. Des peintres comme Manet et son école ont rejeté l'environnement trompeur des ateliers. Ils se sont mis à peindre et à dessiner en extérieur, utilisant la lumière naturelle pour donner forme et volume aux figures, plutôt que de se fier aux hachures croisées pour modeler la silhouette. L'impressionnisme était né.

Ce mouvement libéra énormément les artistes. Dès lors, tout sujet était digne d'être peint ou dessiné. La précision absolue et servile céda la place à l'émotion et au caractère. En outre, l'invention de la photo permit aux artistes de travailler sous des angles neufs et de réaliser des compositions «en coupe» tout à fait spectaculaires.

Degas, l'un des chefs de file de l'impressionnisme, s'aida de nombreuses

Ci-contre : *Combinaison du pastel et du lavis pour ce dessin de Pissarro (1831-1903), représentant deux jeunes paysannes aux champs. Il est simple, sans fioritures, et plein de vie et fut, à l'évidence, réalisé en extérieur.*

Ci-dessous : *Degas (1834-1917) réalisa cette étude au pastel, où figure une jeune fille dans un baquet. Elle fait partie d'une série de dessins de jeunes filles au bain.*

photos pour accomplir son oeuvre. Son intérêt pour les sombres réalités de la vie se reflète dans ses célèbres pastels de danseuses, à la fois réalistes et évocateurs de la dure existence que menaient ces femmes.

Autodidacte et individualiste, Vincent Van Gogh subit pourtant l'influence de l'impressionnisme. Ses dessins au crayon Conté des mineurs de Belgique et les esquisses passionnées qu'il fit de ses amis, voisins et parents témoignent d'un profond attachement pour ses semblables et du refus quasi total d'adhérer au classicisme prôné par Ingres.

La fin du XIXème et le début du XXème siècle virent l'éclosion d'un groupe de jeunes peintres se donnant le nom de *Fauves*, dont l'un des plus connus fut Matisse. Ils rejetèrent pratiquement perspective, couleurs et lumière naturelles pour s'adonner à l'art primitif. Toutefois (et cela vaut pour les abstraits qui suivirent), ayant tous été

formés au classicisme, ils étaient des dessinateurs hors pair.

Au XXème siècle, «l'art expérimental» et l'abstraction totale remirent en question le dessin figuratif sous toutes ses formes. Dans les années 50, on estimait que cette pratique n'avait aucun rapport avec l'art. Heureusement, et cela s'est vérifié à tous les stades de l'histoire de l'art, la modération l'emporta et l'idée semble aujourd'hui passée de mode. Les ateliers de dessin sont de nouveau considérés comme le fondement d'une carrière artistique.

Ci-contre : *Ce dessin au trait flottant, réalisé par Tiepolo (1696-1770), représente la Sainte Famille. Il s'agit probablement d'une étude pour peinture, réalisée à la plume avec un lavis sépia. A l'évidence, on fit poser un véritable bébé.*

Ci-dessous : *La Collation fut dessinée par l'impressionniste Renoir (1841-1919). C'est un charmant dessin au crayon Conté rouge, représentant l'intimité d'une scène entre trois femmes qui bavardent et s'installent pour prendre une collation.*

Ci-dessous : *Délicate réalisation au fusain et au lavis, par l'artiste anglais Gwen John (1876-1939), en 1918. Le modèle traduit une certaine raideur, mais cela permet d'accentuer la gaucherie de la jeunesse, tout en révélant peut-être un caractère assez timide.*

11

L'ANATOMIE
ET LES
RÈGLES DE BASE

Cette partie traite des aspects théoriques du dessin de figures. Elle décrit les notions essentielles d'anatomie fort utiles pour un artiste, ainsi que quelques grands principes qui président à la réalisation d'un dessin.

Toutefois, je pense qu'il est inutile de s'enliser dans les méandres de l'anatomie humaine, car si vous dessinez en observant attentivement, vous devinerez aisément les formes sous la peau. Mon but est d'insister sur quelques règles de base, nécessaires à tout débutant. Après quelques années d'expérience et de pratique, elles deviendront votre seconde nature.

J'insiste également sur les règles de la composition, de la lumière et des nuances de ton. Elles aussi sont complexes, mais il est important de les acquérir et de les mettre en pratique avant de se concentrer sur le dessin. C'est ainsi que les grands artistes ont procédé.

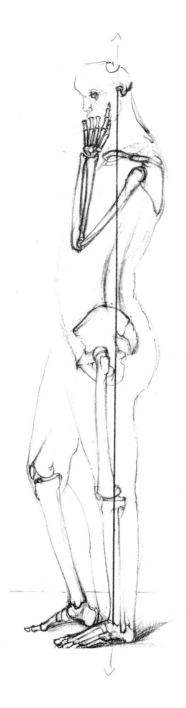

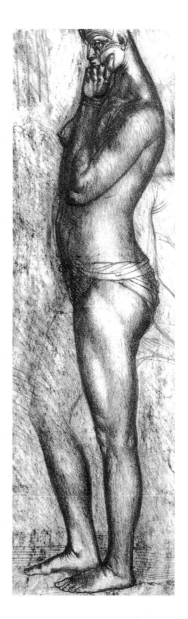

L'ATELIER ET SON ÉQUIPEMENT

Au début, utilisez le moins de matériel possible. Le choix est trop vaste :
devant cette abondance, faute de pouvoir vous décider,
vous en oublierez facilement votre but initial.

Si vous fréquentez un bon atelier, il se peut que vous disposiez de tout le matériel nécessaire, un chevalet qui se chevauche, ou un chevalet classique. Toutefois, si vous restez chez vous, une planche à dessin posée sur une table ou sur les genoux fera l'affaire.

Optez ensuite pour une pièce bien éclairée et très spacieuse, afin de vous tenir à bonne distance de votre modèle. Un fauteuil confortable s'avère tout aussi indispensable, car vous risquez de rester des heures dans la même position.

Je vous suggère de commencer par le crayon, le fusain ou les crayons Conté, un grand morceau de papier cartouche assez bon marché, une planche à dessin en bois ou en plastique, de format A1 (594 x 841 mm), du ruban adhésif ou des pinces. Une corbeille à portée de main sera la bienvenue. Vous pourrez y jeter vos «erreurs» et y tailler vos crayons,

sans en répandre sur les pieds de votre modèle.

Cela semble évident, mais il est conseillé de porter de vieux vêtements ou une blouse. Le dessin peut se révéler tout aussi salissant que la peinture et mieux vaut, dès le début, être libre de ses mouvements.

LE MODÈLE

Pour trouver un modèle, le meilleur moyen est de s'inscrire à un cours, où vous n'aurez à vous soucier de rien. Sinon, vous pouvez toujours demander une liste de modèles, en téléphonant à un atelier.

Avant tout, sachez si le modèle posera nu ou habillé. Souvent, ces derniers préfèrent se changer dans une pièce séparée ou derrière un paravent. Vérifiez aussi, au cas où plusieurs modèles poseraient ensemble, que ceux-ci soient au courant. Certains pourraient s'y opposer.

Le confort du modèle est primordial. Ainsi, il se montrera plus coopératif et la séance n'en sera que plus profitable pour vous. Si votre modèle a froid ou se trouve dans une position inconfortable, les problèmes et les désaccords vous guettent.

Assurez-vous que la pièce soit bien chauffée, surtout si le modèle pose nu.

Ci-dessus : *Dans un atelier, il est vital de disposer d'une source de chaleur portable. Un radiateur électrique est idéal et sans danger. Une méridienne,* **illustration à droite***, offre un bon compromis entre le canapé, le lit et le fauteuil.*

Ci-dessous : *Dans un cours, l'atelier sera spacieux, pourvu de lumière naturelle et artificielle, et un paravent permettra au modèle de se changer.*

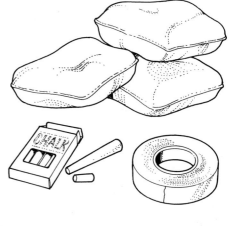

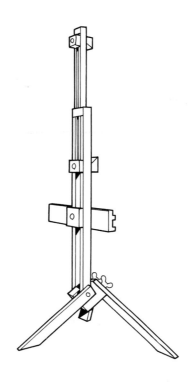

Ci-dessus et à droite : *Le chevalet-tabouret et le chevalet d'atelier sont essentiels à un cours de dessin. Vous pouvez travailler assis sur l'un, et debout devant l'autre.*

Ci-dessus et ci-dessous : *Ne pas oublier également: la craie ou le ruban adhésif pour délimiter la position du modèle, des coussins pour qu'il s'y adosse, des couvertures pour qu'il n'ait pas froid ou pour décorer, une corbeille pour la propreté, des plantes et un miroir pour l'agrément.*

N'oubliez pas que vous êtes habillé! Prévoyez au moins deux radiateurs d'appoint.

Convenez avec votre modèle des pauses qui lui seront nécessaires. Certains poseront une heure ou plus sans s'ankyloser, alors que d'autres devront s'arrêter toutes les demi-heures. Je leur laisse toujours se dégourdir les membres toutes les trente minutes et faire une pause pour boire une boisson chaude au bout d'une heure et demie.

Essayez de faire poser votre modèle de façon naturelle. Personnellement, j'éviterais les poses «grandiloquentes», façon rétro; elles sont artificielles et difficiles à garder longtemps. Rappelez-vous que la position debout est la plus pénible. Une pose allongée serait plus indiquée si la séance s'étale sur plusieurs jours.

Quant aux accessoires, plusieurs fauteuils aux formes intéressantes seront utiles, et éventuellement un lit ou un canapé, doté de nombreux coussins et couvertures, que vous pourrez arranger sous le modèle et autour de lui. Testez différents effets de lumière, en utilisant des projecteurs et en tirant les rideaux. Un assortiment de tissus imprimés aux couleurs chatoyantes et de grandes plantes vertes peuvent aussi agrémenter vos compositions.

Enfin, ayez toujours un morceau de craie sous la main afin de marquer la position de votre modèle, lorsqu'il interrompra la pose pour se détendre.

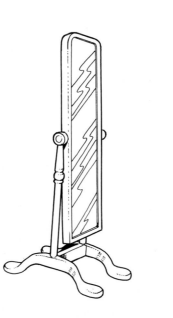

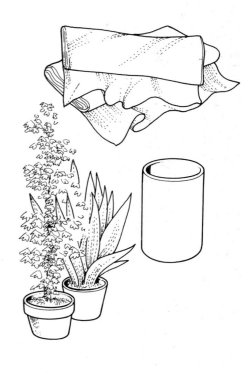

LE SQUELETTE

Le squelette est le châssis du corps humain. Il protège et soutient le corps pour qu'il puisse se mouvoir de diverses façons. Pour mieux apprécier son importance dans la plastique humaine, vous devez soigneusement l'étudier.

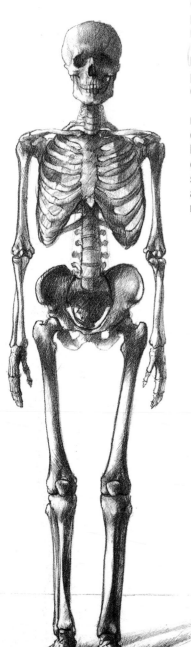

Les endroits du corps où l'on voit saillir l'ossature sont les genoux, les mains, les coudes, les épaules (la clavicule), la tête et la ceinture pelvienne (les os de la hanche) — partout, en fait, où les articulations permettent le mouvement.

Les masses osseuses se concentrent dans le crâne, la cage thoracique et le bassin. Elles protègent les organes vitaux et sont reliées entre elles par la colonne vertébrale.

La colonne vertébrale constitue un remarquable assemblage où alternent cartilage et os sous la forme d'anneaux. Peu visible lorsque vous dessinez d'après modèle, c'est cependant la partie la plus importante du squelette à comprendre, car c'est elle qui donne au corps sa souplesse, tout en limitant certains mouvements.

A gauche et à droite : *Dessinez un squelette au moins une fois, pour vous familiariser avec la structure rigide dissimulée sous la peau. Vues de face ou de dos, les formes sont quasiment identiques; mais vous remarquerez que le bassin et les omoplates viennent en avant, lorsqu'on regarde le squelette de dos. De même, vous pouvez apprécier la gamme de mouvements offerts par la colonne vertébrale, entre le bassin et le thorax, où l'absence de grosse ossature permet la souplesse.*

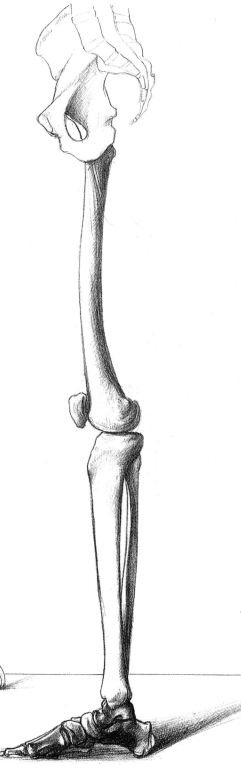

Ci-contre: *Ce dessin montre comment les os du bras sont reliés à l'omoplate. Le dessin, **extrême droite**, décrit comment les os de la jambe rejoignent le bassin. L'articulation à rotule de l'épaule et de la hanche et la charnière des genoux et des coudes offrent une remarquable variété de mouvements.*

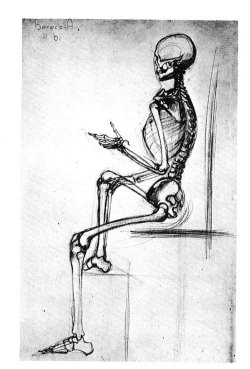

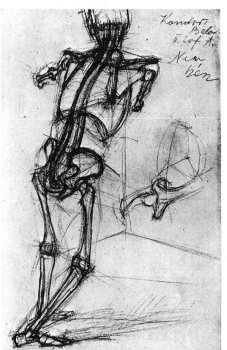

Ci-dessus et à gauche : *Pour comprendre le fonctionnement des articulations, il est utile de s'exercer à de petits croquis qui décrivent les mouvements du squelette.*

LES MUSCLES

Un artiste doit connaître l'emplacement des muscles car, avec le squelette, ils modèlent les différentes parties du corps. Et la musculature permet aussi au squelette de se mouvoir.

Les muscles travaillent en groupe, pour permettre toute une série de mouvements. Quand certains se contractent, d'autres se relâchent et vice versa (ce sont les muscles antagonistes). Certains sont très importants, comme le *grand dorsal* qui est large et plat. D'autres sont très petits, comme le *corrugator* de la tête qui permet de lever les deux sourcils à la fois.

Une étude correcte de la musculature dans les ouvrages d'anatomie n'est pas négligeable, mais vous n'y apprendrez pas tout. Si vous comparez la silhouette d'un boxeur à celle d'un candidat à la présidence de la république, par exemple, vous découvrirez que l'être humain présente bien plus de variétés anatomiques que celles décrites dans les manuels.

En outre, chacun développe une musculature différente de celle d'autrui, en fonction de son activité physique. L'âge et le sexe affectent également l'apparence musculaire. Chez la femme ou l'enfant, par

exemple, il vous sera souvent difficile de distinguer le moindre muscle.

En étudiant l'être humain, vous découvrirez que les muscles varient dans leur forme, leur taille ou leur perceptibilité, en fonction de l'attitude adoptée. De nouveau, j'insiste sur le fait que rien ne peut remplacer l'observation attentive de votre modèle, parce que chacun est unique.

A gauche et à droite : *Ces deux dessins traduisent toute la complexité du tissu musculaire. Le croquis de gauche illustre la façon dont les muscles enveloppent l'ossature, et celui de droite révèle la forme et la variété des groupes de muscles.*

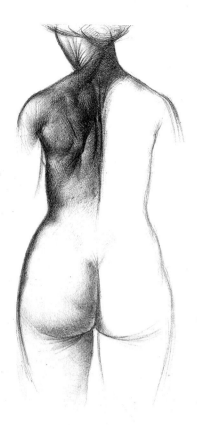

Ci-contre : *A l'exception des différences entre les sexes, le tissu musculaire dépend énormément de la façon dont chaque individu a développé le sien. Ce dessin d'un boxeur professionnel montre combien les muscles de son avant-bras ont acquis une forme démesurée, à force d'exercices.*

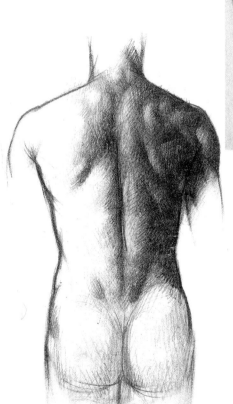

Ci-dessus, ci-contre et à droite : *Le système musculaire affecte différemment chaque individu et différencie les hommes des femmes. Dans les deux sexes, la taille est la partie la plus étroite du corps, mais d'ordinaire les hanches sont plus larges et les épaules plus étroites dans la plastique féminine. En général, la musculature du tronc est plus développée chez l'homme, tandis que chez la femme, une couche grâisseuse dissimule les muscles.*

Hommes et femmes ne correspondent pas forcément aux silhouettes dessinées ici. Par exemple, il est faux de croire que la plastique féminine s'apparente toujours à la forme d'une poire. Il vous faut surtout retrouver les critères de base, puis observer avec soin les caractéristiques physiques propres au modèle que vous dessinez..

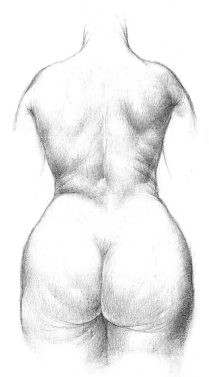

LES ARTICULATIONS ET LES AXES

Le corps humain obéissant aux lois de l'interaction, le moindre mouvement est compensé par un autre. Ce n'est qu'une question d'équilibre. Si vous en êtes conscient, vous comprendrez comment le corps s'articule.

A gauche, à droite et ci-dessous :
Ces petits bonshommes vous montrent comment le squelette s'articule en accomplissant diverses tâches: porter une jarre, tirer une corde, soulever un sac. On voit comment le corps s'équilibre pour compenser la pression ou la force exercée.

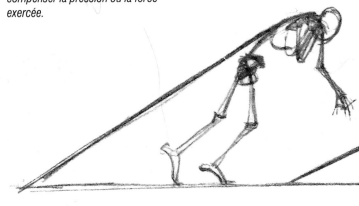

Les articulations interviennent notamment au niveau du cou, des épaules, des coudes, des poignets, des genoux et des chevilles. Une observation attentive vous permettra de mesurer les limites des mouvements réalisés à chacun de ces points.

Les axes constituent les principales lignes horizontales du corps, les deux plus importantes étant celle des épaules et celle des hanches. Comme elles sont au centre des mouvements du corps, elles vous serviront de référence pour mesurer d'autres axes.

Avant de commencer un dessin, la première des choses à établir sont les axes, même s'il ne s'agit que d'un rapide croquis. Le fait de tracer ces lignes directrices très légèrement sur le papier vous sera fort utile.

Aussi bizarre que cela puisse paraître, j'essaye souvent d'imiter la pose du modèle avant de le dessiner, simplement pour comprendre la façon dont tous les éléments fonctionnent.

-contre : *Voici la théorie du petit*
•nhomme mise en pratique. Le
•oquis de droite illustre bien
•mment les deux côtés du corps
•nt en corrélation lorsque le poids
• déplace d'un pied sur l'autre.
•rsque vous commencez un dessin,
•sayez de tracer d'un léger trait de
•ayon les axes des omoplates, des
•isses, des genoux et des talons.
•ercez-vous dans un coin de feuille,
• faisant le croquis d'un petit
•nhomme.

LES PROPORTIONS

Il n'existe pas de règles strictes mais des lignes directrices en matière de proportions. Au début, il vous faut néanmoins les retenir.

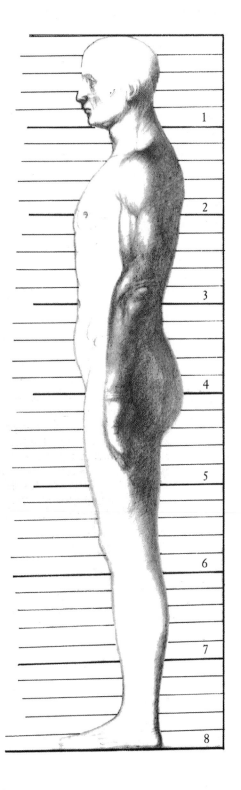

A gauche : *Les peintres de la Renaissance affirmaient que la taille du corps humain contenait en général 8 fois celle de la tête. Ce dessin illustre combien la silhouette semble bizarre si l'on adopte cette règle de façon trop servile. Au début, quelques notions vous seront toutefois utiles. Par exemple, la distance entre le haut du crâne et les poignets contient environ 4 fois la tête, et celle qui sépare le sommet du crâne des genoux contient environ 5,75 fois la tête.*

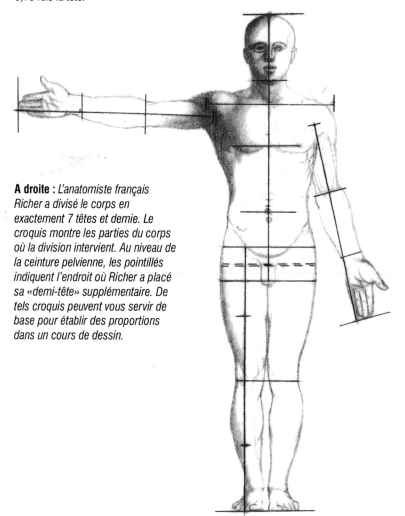

A droite : *L'anatomiste français Richer a divisé le corps en exactement 7 têtes et demie. Le croquis montre les parties du corps où la division intervient. Au niveau de la ceinture pelvienne, les pointillés indiquent l'endroit où Richer a placé sa «demi-tête» supplémentaire. De tels croquis peuvent vous servir de base pour établir des proportions dans un cours de dessin.*

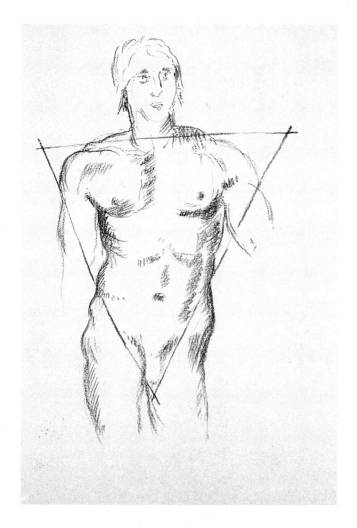

Les Grecs de l'Antiquité étudièrent les proportions de l'homme, suivis plus tard par les grands artistes de la Renaissance qui en établirent les règles. A la base, la théorie voulait que l'individu moyen mesure de 7,5 fois à 8 fois sa tête et qu'en déployant les bras, il obtienne bon gré mal gré la taille de son corps.

Selon moi, ces formules peuvent s'avérer trompeuses et trop systématiques. A la longue, vous finirez par acquérir le sens des proportions. Au début, cependant, les mesures exactes peuvent vous aider à y parvenir.

Un exercice fort utile consiste à dessiner le corps sur du papier millimétré. Commencez par une partie importante, comme la tête ou les épaules, et reportez-la dans un carré. Servez-vous ensuite de votre pouce, en le déplaçant sur le crayon, pour délimiter la taille du carré, puis mesurez chaque partie du corps.

J'utilise souvent mon crayon en le pointant vers le modèle pour juger des lignes horizontales ou verticales de son anatomie, et pour m'assurer que celles-ci partent dans la bonne direction.

Que vous utilisiez ou non une formule, gardez toujours à l'esprit les relations étroites entre chacune des parties que vous dessinez. Le corps fonctionne comme une entité, et non pas en morceaux indépendants les uns des autres.

Ci-dessus : *Ces croquis illustrent la différence entre la plastique masculine et la plastique féminine. En général, le corps masculin ressemble à un triangle inversé, alors que le corps féminin s'apparente à une pyramide. Chez l'homme, les épaules sont plus importantes, à l'instar des hanches chez la femme.*

LA TÊTE ET LE COU

Bon nombre de débutants se concentrent uniquement sur le corps. Mais la tête et le cou comptent tout autant. Ils peuvent refléter l'humeur ou la personnalité du modèle.

Au début, partez du principe que la tête a une forme ovale, soutenue par le cou qui, lui, est cylindrique. Après seulement, vous pouvez vous attaquer aux traits du visage.

Et vous devez le faire! Quand je vois tous ces ovales vides, dépourvus de traits, tels qu'on a coutume de les dessiner dans les ateliers de dessin, je me pose souvent cette question: «A quoi bon dessiner une silhouette si l'on fait abstraction du visage?» Réponse: c'est facile, car la ressemblance avec le modèle n'est pas le but recherché.

Pourtant les visages fournissent tellement d'indices sur l'humeur, l'atmosphère ambiante et l'attitude de la tête et du corps. En tant que spectateurs, le visage permet de nous identifier au portrait. Pour l'artiste, c'est un moyen de communiquer ses idées.

J'insiste aussi sur les cheveux. C'est un élément essentiel et on doit les dessiner en même temps que la tête, et non les rajouter après coup. La chevelure nous donne une idée de l'âge et de la personnalité du modèle. On a souvent l'impression qu'elle augmente ou diminue le volume de la tête, en modifiant par son abondance ou son aspect clairsemé le caractère de l'individu représenté.

Ci-dessous et ci-contre : *De face comme de profil, le crâne possède une forme très caractéristique que l'on a tendance à ignorer une fois qu'il est recouvert de muscles, de peau et de pilosité. Notez les larges cavités où se logent les globes oculaires, ainsi que la place prépondérante de la mâchoire. D'autre part, on distingue nettement l'aspect saillant de l'arrière du crâne.*

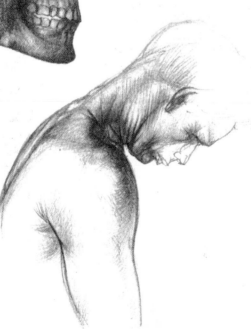

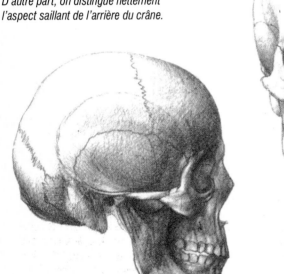

A droite : *Ces deux dessins insistent sur l'importance du cou, qui supporte tout le poids de la tête. Les débutants oublient souvent ce détail. Etudiez bien les déformations du cou, chaque fois que la tête se lève ou se baisse.*

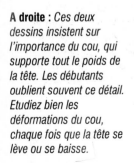

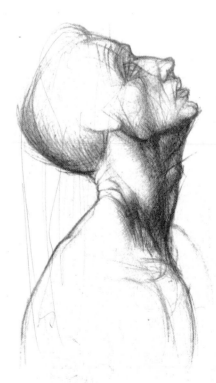

Ci-contre : *Ce cou très vigoureux appartient à un boxeur professionnel. Ses muscles se sont développés grâce à l'entraînement et aux exercices intensifs destinés à renforcer ses épaules. Ce dessin illustre combien la musculature du cou est étroitement liée à celle des épaules. Ici, le cou occupe une place presque aussi importante que la tête.*

Ci-dessus : *Etudiez donc séparément chaque trait du visage, afin d'en apprécier toute la variété. Parmi ceux qui figurent ci-dessus, plusieurs sont des autoportraits, réalisés grâce à un miroir. Les lèvres ont été dessinées sous un angle légèrement raccourci, mais le reste a été réalisé de face. Essayez de dessiner sous plusieurs angles. N'oubliez pas que les globes oculaires sont sphériques, ce qui modifie sensiblement la forme des paupières. Et n'ajoutez jamais des oreilles à un visage une fois qu'il est achevé car vous risquez d'obtenir une tête énorme. Evaluez la grosseur des oreilles en proportion avec le visage.*

LES MAINS ET LES PIEDS

Les mains et les pieds sont couramment oubliés dans le dessin de figures. Grave erreur. Hormis le visage, ce sont les membres les plus expressifs et les «extrémités» naturelles du corps humain.

La raison de cet oubli réside souvent dans la difficulté qu'on rencontre à les dessiner. D'ailleurs, les portraitistes du XVIIème et du XIXème siècle prélevaient un supplément si un portrait comportait deux mains au lieu d'une seule. Toutefois, si vous réduisez les mains à leur forme de base, elles sont assez faciles à dessiner. Entraînez-vous sans cesse à reproduire les vôtres; en tenant un crayon, un verre ou le poing serré.

Les pieds aussi sont très importants, surtout dans la position debout, car ils supportent tout le poids du sujet. Ils constituent la base naturelle de la plupart des dessins de figures. A l'instar des mains, ne retenez que leur forme générale, sans vous soucier du détail de chaque orteil.

L'erreur la plus répandue consiste à représenter les mains et les pieds trop petits.

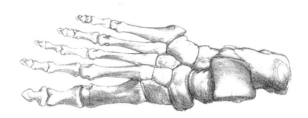

Ci-dessous, à gauche : *Ce schéma de l'ossature de la main montre bien les rapports entre chaque articulation, ainsi que l'espace important entre le pouce et l'index.*

Ci-dessus : *Observez ici les os du pied. Leur longueur est surprenante, alors que, pour la plupart, nous considérons les orteils comme de minuscules objets. En dessinant le pied, traitez-le dans sa forme globale avant de l'observer dans le détail.*

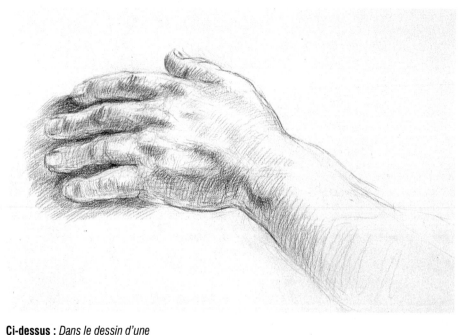

Ci-dessus : *Dans le dessin d'une main, les articulations des doigts et des poignets sautent aux yeux, même si la chair les dissimule. Dessinez d'abord la main dans son ensemble avant de traiter chaque doigt séparément.*

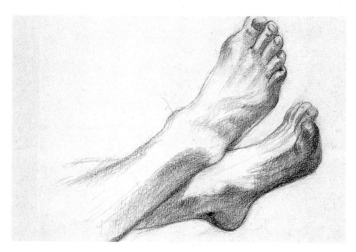

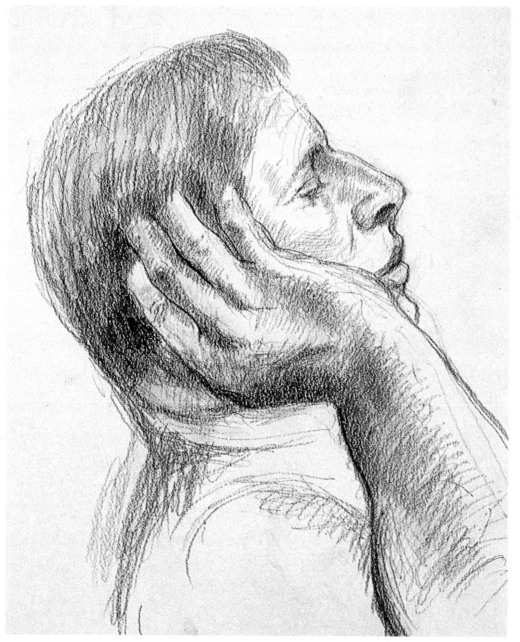

Ci-dessus, à gauche : *J'ai demandé à un ami d'ôter ses chaussettes pour dessiner ses pieds, tandis qu'il regardait la télévision. Saisissez la moindre occasion pour dessiner.*

Ci-dessus : *L'artiste a dessiné sa mère tandis qu'elle repassait, pieds nus. On constate ici combien les pieds forment une base solide et combien ils sont importants dans une position debout.*

Ci-contre : *Ce portrait illustre combien les mains sont expressives et de taille importante par rapport au visage. Essayez de vous dessiner à l'aide d'une glace, les mains touchant votre tête de différentes façons. Si vous réussissez à y introduire les mains et les pieds, vos dessins n'en seront que plus convaincants, aussi difficile que cela puisse paraître!*

LA FORME ET LE VOLUME

Représenter une figure en trois dimensions consiste à lui donner forme et volume. On y parvient la plupart du temps en jouant sur les nuances de ton, mais cela doit apparaître dès vos premiers traits de crayon.

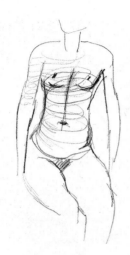

Ci-contre et ci-dessous : *Ces simples esquisses au crayon évoquent la rondeur et la densité de la forme humaine. Sur le dessin de droite, l'artiste l'a bien montré en dessinant des cercles imaginaires autour de la cage thoracique et des bras. Sur celui du bas, l'accent est mis sur la densité, en faisant reposer tout le poids du sujet sur ses cuisses.*

Les débutants croient souvent qu'il suffit d'«ombrer» pour donner du volume à une figure. Ils se trompent car on devinera aisément que le modelage des formes a été réalisé après coup et le dessin ne sera pas convaincant.

Pour donner corps à vos figures, il faut «sentir» les formes tout en les dessinant. Concentrez-vous sur leur rondeur. Vous aurez l'impression que la forme se prolonge derrière l'image que vous avez dessinée.

A gauche et ci-contre :
*Sortis d'un contexte visuel,
il n'est guère facile de
décrire la forme et le
volume, et on ne peut
apprécier leur signification
réelle qu'avec de la
pratique. Dans ces deux
dessins, on perçoit une
densité tridimensionnelle
et sculpturale. Sur l'image
de gauche, on est
convaincu que tout le
poids du modèle repose
sur le sol — son volume et
sa posture y sont pour
beaucoup. Sur celle de
droite, le poids repose sur
la chaise. L'artiste y est
parvenu en accentuant les
formes et les bases
cylindriques, coniques et
sphériques qui
caractérisent le modèle.*

LA LUMIÈRE ET LE TON

Une approche purement linéaire n'est pas toujours suffisante et il vous faudra tenir compte de la lumière. Ombre et lumière donneront du corps et du caractère à vos dessins.

Les artistes plissent souvent les yeux en dessinant. Ceci leur permet de savoir d'où vient la lumière qui éclaire le modèle et de trouver les différentes nuances de ton pour la scène qu'ils représentent. En plissant les yeux, on accentue les contrastes entre lumière et zones d'ombre.

La lumière provient d'une certaine direction, se projette sur une surface et l'éclaire, voire l'illumine. En observant bien et en dessinant exactement ce que vous voyez, vous déterminerez facilement la source lumineuse, une fois votre travail achevé.

Les nuances de ton sont plus délicates à apprécier. Il s'agit des endroits où un volume n'est pas directement exposé à la lumière.

Il est tout aussi important de saisir la notion d'ombres portées. Ce sont simplement les formes d'un volume que projette la lumière sur une autre surface.

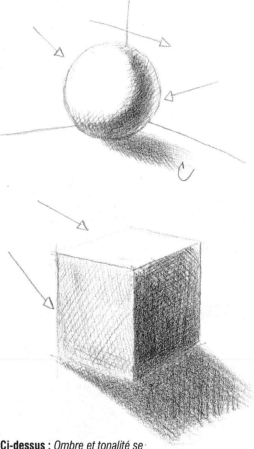

Ci-dessus : *Ombre et tonalité se créent lorsqu'une lumière se projette sur une surface. Les tons très clairs correspondent à la zone fortement éclairée, tandis que les tons moyens et sombres correspondent aux zones à demi-éclairées ou restant dans l'ombre.*

Ci-contre : *Cette figure au pastel illustre le principe de la lumière et de la tonalité.*

Ci-dessous et à droite : *La brosse épaisse vous oblige à vous concentrer sur les effets de lumière. Utilisez des encres plus ou moins diluées afin de rendre plusieurs tons différents.*

Ci-dessus : *Dessins au pinceau, parmi toute une série du même type, réalisés dans une pièce sombre, éclairée par des spots pour créer des ombres théâtrales. Tous les dessins furent exécutés à l'encre et au pinceau.*

Ci-dessous : *Voici un exemple où l'émotion et la sensibilité peuvent être exprimées lorsqu'on utilise la lumière et le ton de façon intelligente. Dessin réalisé au crayon Conté avec des zones éclaircies à la gomme.*

ANGLES DE VUE ET POSES

Dans les ateliers de dessin, vous verrez souvent des gens installer leur matériel, sans savoir comment le modèle va poser. Ne faites pas cela. Ne commencez jamais à dessiner sans avoir bien réfléchi à tous les angles de vue possibles.

Promenez-vous un peu autour du modèle, asseyez-vous par terre ou grimpez sur une table. Demandez-vous si le sujet ne paraît pas plus théâtral vu de dos, ou de côté.

Si vous avez la chance de faire vous-même poser le modèle, songez qu'un léger changement de posture, comme le déplacement du poids d'une jambe sur l'autre, peut considérablement modifier le caractère de la pose. Les poses allongées ou à demi-allongées, genoux et bras repliés, donnent lieu à toutes sortes d'angles de vue intéressants. Les poses en pied sont généralement plus simples mais aussi plus limitées. Un simple vêtement ou une étoffe à motifs, ou encore l'adjonction d'un fauteuil ou d'un canapé peuvent transformer la scène.

Vous pouvez aussi envisager de faire poser plusieurs modèles. Les rapports entre chaque figure offrent de fantastiques possibilités de composition.

Ci-dessus et à droite du texte : *Deux poses assises légèrement modifiées: un pied sur le tabouret ou jambes croisées.*

Ci-contre : *On a obtenu cet effet tout à fait dramatique en demandant au modèle de s'étendre par terre, mains sur la tête, tandis que l'artiste dessinait debout au-dessus d'elle..*

Ci-dessus : *Enrichissez votre composition d'autres éléments pour situer le décor et l'événement, comme dans cette éphémère scène d'atelier. Par* *chance, l'artiste a pu disposer de deux sujets, en opposant leurs postures — l'un étant allongé et l'autre assis, dos légèrement voûté.*

Ci-dessus à gauche : *L'utilisation d'un miroir rend un dessin original et évite d'avoir recours à deux modèles.*

Ci-contre : *L'artiste s'est fortement concentré sur le visage, qui fut dessiné sous différents angles, dont l'un est un raccourci assez difficile. Variez autant que possible les points de vue. C'est ce qui personnalise votre dessin et dynamise votre composition.*

LA COMPOSITION

La composition doit être votre premier sujet de préoccupation, car d'elle seule dépend l'impact de votre dessin.

Il existe toutes sortes de théories compliquées sur la composition — le nombre d'or en est une — mais je ne vais pas les détailler. Hormis quelques règles élémentaires, la pratique et l'expérience vous permettront de comprendre la composition.

Pour qu'une composition soit réussie, il faut qu'avant tout celle-ci attire l'oeil et le guide dans l'image et non à l'extérieur.

Ci-dessus : Ces quatre dessins illustrent comment, en changeant légèrement la pose et l'angle de vue, on peut modifier la composition.

Ici, le regard fixe du modèle attire l'oeil vers le visage de gauche puis l'oblige à remonter le long du sujet jusqu'à la tête. La

composition se borne à une diagonale entre les deux visages.
Ci-dessus : Dans une pose similaire, on a retiré le visage

de gauche mais la diagonale demeure. A cause de leur tonalité sombre, l'oeil se focalise d'abord sur les genoux.

Ci-dessus : La ligne verticale de la cuisse au milieu du dessin offre un contraste marqué avec l'horizontale du

torse. Cette composition divise l'image en deux blocs bien distincts et suggère une forte impression de géométrie.

Ci-dessus : L'espace disponible contient toute la figure. Ceci peut souvent créer un effet statique mais, cette fois encore, l'oeil est attiré le

long de la diagonale, depuis la tête massive et sombre, en passant par le rectangle du torse, jusqu'au carré des membres inférieurs.

Ci-dessus et à droite: *Chacun à sa manière, ces deux dessins achevés fournissent de nombreux détails, et tous deux exigèrent un certain temps de création. La composition a donc dû être parfaite dès le départ.*
Ci-dessus, le dessin à l'encre et au lavis se concentre autant sur la plastique des deux sujets que sur leur environnement, procédé qui force l'oeil à parcourir l'image puis à se focaliser de nouveau sur les modèles. Le dessin de droite est une composition plus dépouillée, axée sur un seul sujet contre un mur nu. L'ombre portée permet d'oublier la position centrale de la figure sur la feuille. La douceur de l'ombre adoucit également la raideur géométrique de la composition.

LES MATÉRIAUX

Dans cette partie, je fais l'inventaire de tout ce que l'on peut obtenir à l'aide des différents matériaux dont on dispose aujourd'hui. J'ai inclus les divers types de papier, car le support est aussi important que l'outil utilisé. Et comme «ajouter» est aussi nécessaire que «supprimer», j'ai traité des effets des gommes et des couteaux.

Testez toutes ces techniques pour découvrir celle qui vous convient le mieux, quelles que soient les conditions ou les circonstances. Exercez-vous à les combiner — il n'existe pas de règle en la matière, et chaque artiste a la sienne. Sachez, cependant, que vous ne devez jamais trahir le matériel. Ne cherchez pas à obtenir d'un outil particulier ce qu'un autre réussirait beaucoup mieux.

LE PAPIER

Les artistes professionnels sont exigeants sur le choix du papier et s'attachent souvent à un type particulier. A la longue, vous deviendrez comme eux. Chaque papier est destiné à une utilisation précise et votre choix affectera sensiblement votre façon de dessiner.

Il existe des centaines de types de papier. Ceux de fabrication artisanale sont les plus chers, mais les industriels conviennent parfaitement au dessin. Parce qu'ils sont moins onéreux, ils ne vous intimideront pas autant qu'un papier très coûteux. Le détaillant de votre quartier devrait pouvoir vous renseigner de façon précise sur ce que l'on trouve actuellement sur le marché.

Lors du choix d'un papier, pensez à l'utilisation que vous en ferez. J'ai souvent vu des peintres novices se battre pour utiliser leur fusain sur du papier couché, acheté par souci d'économie — parce que le fusain se contente de glisser sur la surface.

Un papier lisse et brillant ne convient pas aux matériaux secs, comme la craie ou le fusain, parce que le grain n'accroche pas le pigment. Mais un papier trop grené ne convient pas au dessin à la plume, et sa surface donne un trait tremblant et difficilement contrôlable.

Travaillé au crayon, ce papier artisanal possède une texture irrégulière offrant des résultats intéressants.

Le papier pressé à chaud ou à froid possède un grain épais offrant une plus grande variété de textures.

La surface lisse du papier pressé à froid offre une texture douce pour le crayon.

Le papier cartouche ordinaire présente un grain assez fin.

Pastel sur Ingres noir et bleu sombre.

Dessin au pinceau et à l'encre sur papier artisanal indien, et pastel sur papier Ingres.

Pastel blanc sur noir sur papier Ingres hollandais.

Encre avec réserve à la cire sur papier artisanal japonais.

Papier gros grain artisanal indien travaillé au crayon Conté et à la gomme.

CRAYON, GRAPHITE ET GOMMES

Le crayon et le bâton de graphite sont des outils très simples et précis.
Facilement transportables et assez propres, ils permettent toute une gamme
de traits et d'empreintes. On peut aussi les étaler, les gommer et les gratter;
en un mot l'idéal pour le dessin de figures.

Les crayons ordinaires contiennent une mine de graphite («mine de plomb»), qu'on trouve aussi en bâtons plus ou moins durs. Etant assez épais, les bâtons de graphite permettent de couvrir une grande surface d'un seul coup. On peut les tailler et obtenir un trait très fin ou très épais.

Evitez les taille-crayons, car ils ont tendance à casser la mine. Mieux vaut utiliser un couteau bien aiguisé.

Combinée au crayon ou au bâton de graphite, la gomme offre des résultats intéressants. Vous pouvez «dessiner» à la gomme sur un papier préalablement recouvert de graphite.

On trouve aussi différentes qualités de gommes. Les plus molles sont malléables, en mastic ou en caoutchouc. Les plus dures sont les gommes à encre, qui risquent de déchirer le papier si vous n'y prenez pas garde.

Plus le papier est épais, plus il vous sera facile de le gommer — sur les papiers très fins, vous risquez de laisser des traces.

Ci-dessous : *Autoportrait de Peter Evans au crayon. Les tons sont rendus par la densité des traits à certains endroits. A droite, on voit comment il a étudié le visage pour en établir la physionomie, tout en exécutant le dessin principal.*

Ci-dessus : *Dessin réalisé aux crayons EE et EB sur du papier à croquis assez lisse. On voit bien le trait sombre que produisent ces crayons.*

Ci-contre, page de gauche : *Voici divers types de crayons (en partant du haut): un crayon de fusain; un bâton de graphite 9B, offrant un trait fluide et d'un noir somptueux; un bâton de graphite HB, plus dur; un bâton de graphite pouvant servir à tracer des traits larges; un crayon 6B ordinaire; et deux crayons peu usités, le EE et le EB, dont le trait se révèle très sombre. Egalement photographiés: gomme malléable en caoutchouc et crayon-gomme. Au centre, on voit les traces laissées par chacune d'elles sur une surface crayonnée.*

Ci-dessus : *Nu assis, réalisé au crayon. Dessin qui montre combien le crayon peut se révéler simple et expressif.*

Image du haut : *Ouvrier métallurgiste dans un dépôt de locomotives. L'artiste a travaillé son dessin à la gomme sur un fond crayonné au bâton de graphite, afin d'obtenir cet effet d'illumination autour du visage.*

Ci-dessus : *Utilisation du crayon pour réaliser des lignes simples. Les nuances de ton sont rendues par l'accumulation des traits. L'artiste a varié les empreintes pour traduire texture et motif, notamment dans la chevelure du modèle et dans l'ébauche de motif sur l'étoffe où le sujet repose.*

C

A gauche : *Dessin de Clare Jarrett, où les traits de crayon s'accumulent et tendent vers le noir total, afin de parvenir à un singulier effet de relief. A l'évidence, la source lumineuse provenait de la droite, ce qui confère au modèle une beauté sculpturale. Certaines zones sont laissées en blanc, mais on n'en devine pas moins les formes.*

A droite : *Dessin au bâton de graphite, utilisé à plat par endroits, comme une sorte de lavis, et sur la mine pour tracer les traits. Le résultat final s'apparente à une peinture et reflète toute la subtilité de l'outil employé. Les grisés se révèlent*

LE FUSAIN

C'est le plus «pictural» des matériaux de dessin. Sa texture exige qu'il soit manié avec assurance, pour tracer de grands traits passionnés comme pour peaufiner un détail.

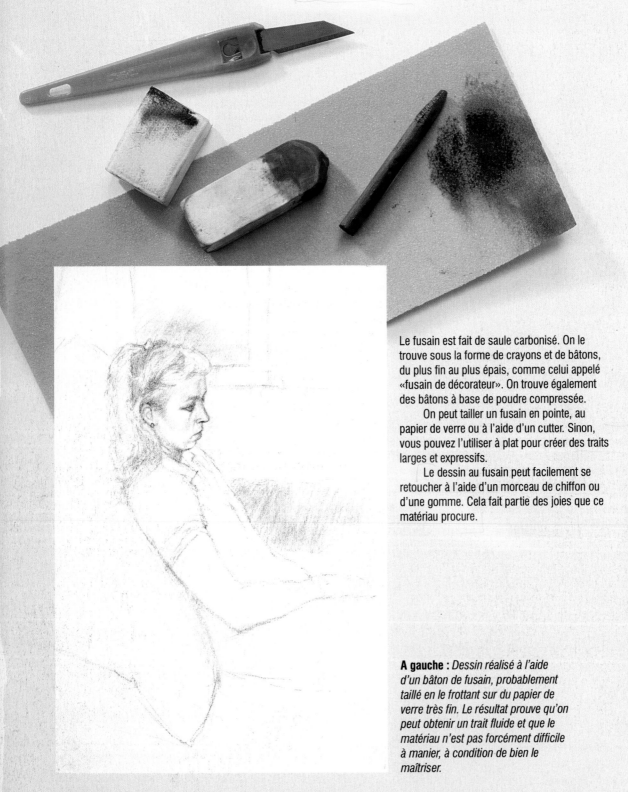

Le fusain est fait de saule carbonisé. On le trouve sous la forme de crayons et de bâtons, du plus fin au plus épais, comme celui appelé «fusain de décorateur». On trouve également des bâtons à base de poudre compressée.

On peut tailler un fusain en pointe, au papier de verre ou à l'aide d'un cutter. Sinon, vous pouvez l'utiliser à plat pour créer des traits larges et expressifs.

Le dessin au fusain peut facilement se retoucher à l'aide d'un morceau de chiffon ou d'une gomme. Cela fait partie des joies que ce matériau procure.

A gauche : *Dessin réalisé à l'aide d'un bâton de fusain, probablement taillé en le frottant sur du papier de verre très fin. Le résultat prouve qu'on peut obtenir un trait fluide et que le matériau n'est pas forcément difficile à manier, à condition de bien le maîtriser.*

Ci-dessus : *Le fusain est employé ici d'une façon délicate et linéaire, sans effets de tons. L'outil convient parfaitement à ce type de dessin, car si vous commettez une erreur, vous pouvez facilement l'ôter avec le doigt, et retrouver une surface quasi parfaite. Le matériau est si léger qu'il ne laisse pas d'empreinte définitive sur le papier.*

Ci-contre : *De texture assez épaisse, le vélin Arches a permis à Bernadette Coxon d'exécuter ce dessin où le fusain a été travaillé de sa façon la plus courante. L'éclairage théâtral et le rendu sculptural du modèle expriment toute une atmosphère. Lorsque vous travaillez sur un papier grené comme celui-ci, attendez-vous à ce que votre bâton de fusain s'use très rapidement!*

CRAIE ET CRAYON CONTÉ

La craie et le crayon Conté ont été utilisés par les plus grands maîtres, tels que Michel-Ange ou Rubens. On les confond souvent, car on les trouve sous des formes similaires.

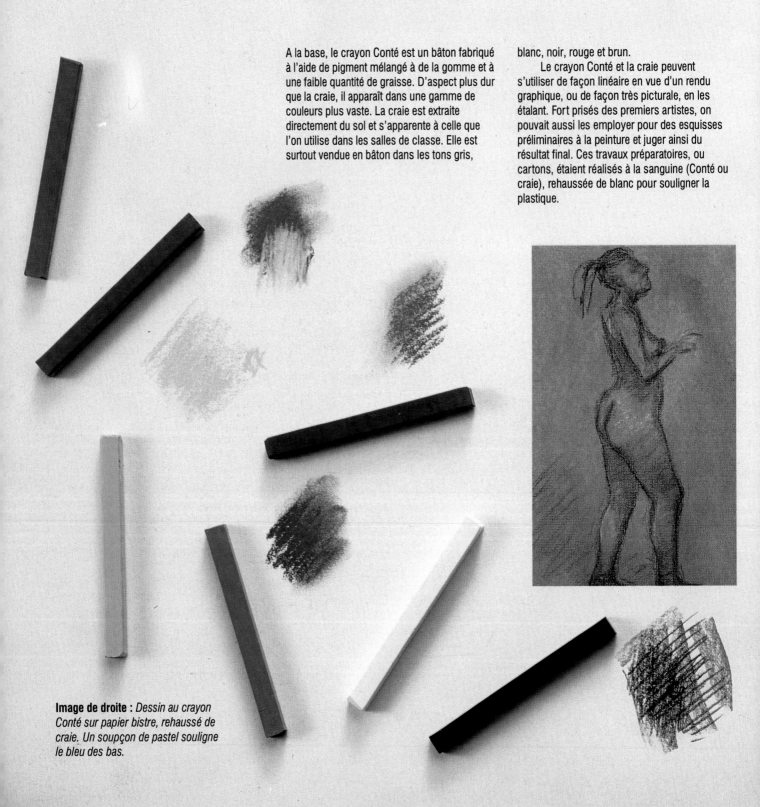

A la base, le crayon Conté est un bâton fabriqué à l'aide de pigment mélangé à de la gomme et à une faible quantité de graisse. D'aspect plus dur que la craie, il apparaît dans une gamme de couleurs plus vaste. La craie est extraite directement du sol et s'apparente à celle que l'on utilise dans les salles de classe. Elle est surtout vendue en bâton dans les tons gris, blanc, noir, rouge et brun.

Le crayon Conté et la craie peuvent s'utiliser de façon linéaire en vue d'un rendu graphique, ou de façon très picturale, en les étalant. Fort prisés des premiers artistes, on pouvait aussi les employer pour des esquisses préliminaires à la peinture et juger ainsi du résultat final. Ces travaux préparatoires, ou cartons, étaient réalisés à la sanguine (Conté ou craie), rehaussée de blanc pour souligner la plastique.

Image de droite : *Dessin au crayon Conté sur papier bistre, rehaussé de craie. Un soupçon de pastel souligne le bleu des bas.*

Ci-contre : *Ce nu masculin étiré fut réalisé sur papier brun très clair. Le crayon Conté donne un trait très vigoureux et sans maladresse. On peut le tailler en pointe pour travailler les détails.*

Ci-dessous : *Dessin réalisé au crayon Conté appelé «pierre noire». On le trouve sous la forme d'un crayon ou d'une espèce de porte-mine.*

DESSIN À LA PLUME

On considère souvent le dessin à la plume comme une technique rigide et mécanique. J'ai découvert que c'était exactement l'inverse. Choisissez un bec adéquat, soyez détendu, et votre dessin se révélera expressif et agréable.

Cette technique exige une concentration totale, car la moindre erreur se verra sur le support, et c'est ce qui effraie les gens. Mais un trait mal placé, ce n'est pas bien grave. C'est même tout le charme du dessin à la plume. Rembrandt en fut l'un des chefs de file, et l'on devine souvent les retouches sur ses oeuvres.

Les feutres, les plumes d'écriture, les roseaux, les plumes d'oie et les morceaux de bambou taillés sont autant d'outils offrant une fascinante gamme de traits.

Le dessin à la plume se marie très bien avec le lavis appliqué à la brosse, soit au début soit à la fin de votre travail. Si vous souhaitez tester cette technique, sachez que certaines encres se diluent et que d'autres résistent à l'eau et par conséquent au lavis.

Ci-dessus : *J'ai dessiné cette figure avec une plume de bambou trempée dans une encre sépia. Cette technique offre une large variété de possibilités. A certains endroits, comme les cheveux, j'ai étalé l'encre avec mon doigt.*

On trouve toutes sortes de plumes, des plus simples aux plus élaborées. Le bambou taillé, les plumes à becs de métal, les stylos à bille et les stylos-plumes... chacune offrant une qualité de trait particulière.

Ci-dessus et ci-dessous : *J'ai réalisé ces deux dessins avec un bec 303 et de l'encre sépia diluée. Avec un bec adéquat, on peut donc réussir un trait harmonieux. L'image ci-dessous prouve que cela se marie bien avec un lavis d'aquarelle.*

Ci-dessus : *Dessin exécuté au bec 303 et au lavis. L'encre sépia permet de bâtir vos zones de tonalité à l'aide de traits ou de la diluer dans l'eau pour l'étaler sur le papier.*

CRAYONS DE COULEUR

Les crayons de couleur ne sont en vogue que depuis le récent succès des portraits de David Hockney. Les crayons universels, en revanche, sont peu utilisés par les artistes professionnels, notamment parce qu'ils n'offrent qu'une faible gamme de couleurs. Ils ne sont pas à négliger pour autant.

Il est assez difficile d'obtenir des mélanges avec des crayons de couleur. Voilà pourquoi les fabricants les proposent dans toute une variété de nuances.

Ils ont tendance à produire un dessin essentiellement linéaire et graphique. Toutefois, il existe des crayons solubles dans l'eau et qui peuvent donc être mélangés et dilués, en donnant un rendu plus pictural. Vous pouvez étaler ou appliquer le pigment soluble à l'aide d'une brosse plate ou d'un chiffon.

Employés à grande échelle, les crayons de couleur ne sont guère pratiques, car la technique devient rapidement fastidieuse. Ils conviennent cependant pour des travaux à échelle réduite et pour les croquis. Utilisés en réserve avec l'encre ou l'aquarelle, les crayons universels (à base de cire) sont très utiles, technique fort prisée dans les oeuvres de Henry Moore et de John Piper. En tant qu'outils à part entière, les crayons universels ont été supplantés par les pastels gras.

Ci-contre : *Dessin réalisé au moyen de crayons de couleur solubles. Une petite éponge a servi à mélanger la couleur. Ces crayons sont remarquables si vous souhaitez travailler plus rapidement qu'avec les crayons de couleur ordinaires.*

A droite : *Aquarelle avec réserve à l'aide d'un crayon universel. Toutefois, je vous suggère d'attendre que votre «coup de main» soit plus sûr avant de vous lancer dans cette technique, car elle exige une grande précision. L'effet de lumière obtenu est néanmoins prodigieux.*

Ci-dessous : *L'artiste a utilisé des crayons solubles pour parvenir à cette combinaison de contre-hachures, de lignes bien définies et de lavis.*

Ci-contre : *Utilisé pour bâtir des «couches» de traits de différentes couleurs, le crayon peut offrir une variété de nuances sur le papier. Toutefois, c'est une technique laborieuse et nécessitant de la pratique.*

PASTELS GRAS

Les pastels gras ne conviennent peut-être pas tout à fait au dessin de
figures, car ils ont tendance à se déposer en couche épaisse sur le support.
Mais combinés à d'autres matériaux, ils produisent
des résultats spectaculaires.

On les trouve dans une large gamme de couleurs. Inutile cependant de les avoir toutes, car vous pouvez les mélanger, en les étalant ou en les diluant dans de la térébenthine.

J'utilise les pastels gras sur du papier grené avec un lavis de térébenthine et, en guise de réserve, avec de l'aquarelle ou de l'encre. Mais ils se combinent à toutes sortes de matériaux. Grâce à leur extrême brillance, leurs couleurs tiennent bien. En outre, leur texture et leur densité permettent de les gratter au couteau ou à la plume.

Ci-contre : *Utilisation du pastel gras pour limiter les contours et, en guise de lavis, à l'aide de térébenthine ou de white-spirit pour étaler la couleur tout autour de la feuille. Mélangé à la térébenthine, le pastel devient plus souple à manier et me permet d'obtenir des effets variés.*

Ci-dessous : *Les pastels gras existent dans une myriade de teintes. Essayez de restreindre votre palette plutôt que de chercher à les utiliser toutes.*

Ci-dessus : *J'ai utilisé ici le pastel gras en guise de réserve avec un lavis d'aquarelle. La méthode marche bien avec les poses rapidement esquissées.*

Ci-contre : *Utilisation classique du pastel gras. Application successive de couches, puis travail du détail avec d'autres couleurs. A effectuer lorsque la pose exige des couleurs*

PASTELS DOUX

Ce sont de merveilleux matériaux, offrant des couleurs pures et brillantes, et permettant de couvrir rapidement de grandes surfaces. Sur un support convenable, comme le papier Canson ou Ingres, au grain léger, le rendu se révèle tout à fait magique.

Les pastels doux sont faits de pigments de poudre, liés à une dose de résine ou de colle. Certaines couleurs nécessitent moins de colle et s'effritent plus facilement. Peu importe, car vous pouvez toujours les étaler avec le doigt.

Un vieux morceau de tissu ou du papier de soie vous permettra de mélanger vos couleurs sur le support. Vous obtiendrez ainsi un «lavis sec» dans lequel vous travaillerez les détails à l'aide d'un crayon Conté ou d'un fusain. Vous pouvez bien sûr continuer à dessiner au pastel sur la surface, en utilisant des estompes ou des tortillons. Ce sont des espèces de crayons très fins, fabriqués à l'aide de papier roulé, et servant notamment au pastel.

Il vous faut fixer chaque couche au fur et à mesure de votre travail, afin de pouvoir redessiner à certains endroits sans détruire la couche inférieure. Les meilleurs fixatifs sont ceux que vous fabriquez vous-même et que vous appliquez à l'aide d'un vaporisateur.

En dépit des critiques, le pastel se conserve bien si on en prend soin. J'en veux pour preuve les portraits du XVIIIème siècle, qui ont gardé la fraîcheur des premiers jours.

A droite : Ce dessin illustre tous les effets offerts par le pastel doux. Le support est un papier Ingres, celui qui convient le mieux au pastel selon moi, car il offre une grande liberté d'action pour mélanger les couleurs. Le rouge profond du papier met en valeur les teintes plus claires.

A gauche : *Les pastels doux existent dans une gigantesque gamme de teintes et de nuances pour chaque couleur de base.*

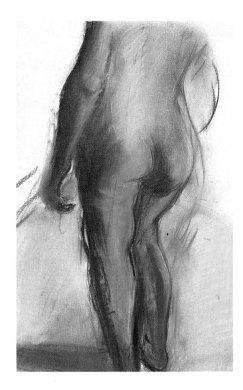

A gauche et à droite : *Ces dessins démontrent combien les couleurs au pastel peuvent se révéler profondes. Sur celui de gauche, j'ai étalé les pastels à grands gestes, puis j'ai dessiné dessus pour obtenir différents effets. Sur celui de droite, on voit comment créer de la luminosité en travaillant des tons clairs sur un fond sombre.*

Ci-dessous : *Portrait d'un homme au travail dans un atelier de sérigraphie. Le sujet haut en couleur se prête volontiers aux possibilités du pastel.*

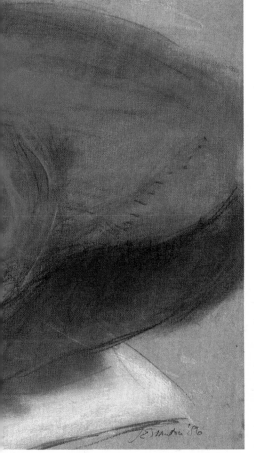

LE DESSIN AU PINCEAU

Outre son usage en peinture, le pinceau est aussi un outil de dessin très efficace. Oriental ou occidental, il s'utilise avec l'encre ou l'aquarelle.

Bien que le trait du pinceau se révèle délicat, il n'en est pas moins définitif et donc difficile à ôter, une fois sur le papier. Cette technique requiert une certaine part de réflexion préalable. Mais cela reste un formidable outil d'expression et je ne voudrais pas vous effrayer. Avec la pratique, vous découvrirez combien il peut être gratifiant.

Je préfère les brosses souples en poil de martre du no 00 au no 4. Les brosses orientales sont trop molles à mon goût. J'aime les encres chinoises, que l'on frotte sur une pierre à broyer. On les trouve aussi prêtes à l'emploi.

Il existe toutes sortes d'encres solubles dans l'eau et non solubles. Les encres non solubles contiennent une laque qui leur donne un aspect vernis après séchage. Personnellement, je n'aime pas, mais cela peut donner une texture intéressante à votre dessin.

Testez plusieurs dilutions d'encre, en faisant des essais sur le papier; si besoin est, vous augmenterez les doses de noir à mesure que votre dessin prendra forme.

Essayez de travailler avec des brosses en pur sanglier ou de vieux pinceaux endommagés; à peine imprégnés d'encre, ils peuvent produire un trait hésitant et très joli.

Ci-dessous : *Jeune fille à demi-nue, allongée sur un canapé. Dessin réalisé à la brosse fine trempée dans l'encre sépia. L'encre a été diluée plusieurs fois et l'artiste a commencé par une dilution très claire. Inutile de tracer les contours, avant de démarrer, sinon vous serez tenté d'imiter les marques du crayon. Attaquez directement au pinceau.*

Ci-contre : *Ici, l'encre noire ordinaire a des reflets bleus; ce qui lui donne un aspect moins sévère que l'encre noire bien dense. L'artiste a utilisé sa brosse de différentes façons pour obtenir des textures intéressantes.*

Ci-dessous : *Tandis que le modèle se reposait, l'artiste l'a rapidement dessiné, à l'aide d'un pinceau trempé dans de l'encre sépia. Ce matériau est parfait pour des esquisses rapides et produit des lignes gracieuses. J'aime l'effet subtil rendu par le pinceau, lorsqu'il commence à sécher.*

TECHNIQUES MIXTES

Bon nombre de débutants pensent que s'ils emploient un matériau, ils doivent s'y tenir. Hormis quelques exceptions, la plupart des matériaux peuvent se mélanger.

Il existe de nombreuses combinaisons traditionnelles, tels le dessin à la plume et le lavis, ou le fusain et la craie, mais vous pouvez inventer votre propre technique. A ce sujet, les plus grands artistes avaient leurs petites manies. Van Gogh, par exemple, ne dessinait qu'avec des plumes fabriquées dans des brindilles creuses qu'on ne trouve que dans le Midi de la France, et Degas commençait toujours ses pastels par des monotypes. Chaque artiste est libre de choisir ses matériaux, ses techniques et ses sujets. Libre à vous de tout tester.

Toutes sortes de matériaux inhabituels peuvent vous servir; le thé, le café, le pain grillé, le sable, la colle, des papiers usagés, même la fumée de bougie! Vous pouvez découper votre tableau au couteau, le tremper dans la baignoire, le coudre avec du fil ou utiliser de l'eau de Javel, comme on le voit page de droite. N'ayez pas peur de vous éloigner des matériaux traditionnels.

Ci-contre : *Dessin réalisé à l'aquarelle, à l'encre, à la craie blanche et avec d'autres matériaux. J'aime beaucoup la façon dont l'artiste a utilisé l'ombre du bras pour accentuer l'aspect dramatique de la composition. Elle devait être tellement prise par son sujet qu'elle a dû s'emparer de tout ce qu'elle avait sous la main pour exécuter son dessin.*

Ci-dessus : *On a installé le sujet dans une pièce dont la lumière a été modifiée à l'aide de filtres bleus et rouges, ce qui donne ces couleurs inhabituelles au dessin. Il a été réalisé à l'encre diluée et, à certains endroits, au crayon.*

Ci-contre : *Exemple de dessin à l'eau de Javel. Appliquez d'abord de l'encre à écrire sur le papier, puis dessinez à l'intérieur avec une brosse en nylon trempée dans de l'eau de Javel de ménage. On obtient toutes sortes d'effets avec ce matériau, on peut dessiner avec des plumes en acier ou l'étaler sur le papier. Prenez soin, cependant, de ne pas en respirer les vapeurs ou d'en renverser sur vous.*

LE COLLAGE

C'est une formidable technique, aux effets souvent inattendus.
En principe, tous les matériaux sont bons, tant que vous pouvez
les coller sur votre support.

Prenez l'habitude de conserver des tas de choses qui peuvent vous être utiles: morceaux de papier alu, tickets de bus ou de cinéma usagés, papiers d'emballage, coupures de magazines; afin d'avoir toujours toutes sortes de matériaux à votre disposition pour créer différents effets de collage.

Il vous faudra du papier épais ou, mieux encore, du carton, pour y coller vos matériaux. Le collage s'avère efficace lorsqu'on l'utilise conjointement à une technique traditionnelle comme le dessin au pinceau ou le pastel.

Ci-dessus : *Andy Baker a commencé son collage en disposant grossièrement quelques formes de base, à partir d'un dessin de figure réalisé en atelier. A ce stade, on a une vague impression de silhouette. Mais l'artiste ne s'est pas fixé de règles strictes de composition au début, pour préserver une certaine spontanéité.*

Ci-contre : *Au fur et à mesure, la silhouette s'est affirmée. A ce stade, l'artiste a tracé quelques lignes à l'encre noire, pour mieux définir la figure et pour ajouter une couleur supplémentaire à son oeuvre.*

Ci-contre : *Pour finir, on obtient le portrait saisissant d'une silhouette masculine. Andy a notamment employé les feuilles d'un vieux calepin, des bandes déchirées de papier de couleur, du papier d'emballage et du crayon feutre. Le collage n'impose aucune limite. C'est une bonne idée de vous inspirer d'un de vos dessins. Mais n'essayez pas de copier vos originaux de façon servile; la technique du collage ne donnera pas forcément d'excellents résultats à chaque fois.*

LE MONOTYPE

C'est la forme la plus simple et la plus directe d'impression. C'est une technique très efficace lorsqu'on travaille directement sur le modèle.

Il existe deux méthodes. La première nécessite une surface plane et lisse, l'idéal étant une plaque en verre ou en métal. Dessinez sur ce support à l'aide d'une substance graisseuse, comme de l'encre d'imprimerie ou de la peinture à l'huile. Placez ensuite une feuille de papier contre le support et pressez-la au rouleau. Vous obtiendrez l'image inversée du dessin original.

Si la surface utilisée est une plaque pour gravure à l'eau-forte et le matériau de l'encre, vous pouvez passer le résultat dans une presse typographique.

La seconde méthode fonctionne comme une copie au papier carbone. Recouvrez une feuille de papier d'encre d'imprimerie puis retournez-la sur une seconde feuille de papier. Dessinez ensuite au dos de la première feuille. Ceci va transférer le dessin sur le papier du dessous, et vous découvrirez le résultat en séparant les deux feuilles. Le dessin ci-dessus fut réalisé selon la première méthode.

A gauche : *Ce dessin au pinceau a servi de base pour les étapes suivantes. L'artiste, Clare, l'a quadrillé afin de pouvoir le copier.*

A droite *: En se servant du quadrillage de l'original, Clare a reporté le dessin sur une feuille de plastique transparente, en utilisant de la peinture à l'huile noire.*

Ci-contre : *Le résultat final fut alors imprimé sur du papier. Comme vous le voyez, c'est l'inverse de l'original. L'artiste a travaillé avec de la peinture grise et noire, et a su exploiter les riches textures produites par le procédé. Toutes sortes de petits incidents surgissent dans la technique du monotype, qui peuvent donner beaucoup de personnalité à l'image finale.*

DESSIN EN SITUATION

Cette partie traite des problèmes rencontrés hors du cadre privilégié d'un atelier où, d'ordinaire, le modèle reste immobile et le silence est total. Quand vous travaillerez à la maison, la vie va continuer autour de vous et ce sera un test pour votre concentration. Inutile donc de grogner quand maman décide de se préparer du thé, alors que vous êtes plongé dans le chef-d'oeuvre du siècle. Et si vous manquez de patience, vos «modèles» s'enfuiront dès qu'ils verront votre planche à dessin. Croyez-en mon expérience! Je m'attarde aussi sur deux autres éléments: les vêtements et le mouvement. Dans la vie réelle, les gens ne posent pas nus plusieurs heures d'affilée. Avant tout, abordez vos sujets — famille, amis ou étrangers — de façon confiante et détendue.

LA FAMILLE ET LES AMIS

Votre famille ou vos amis peuvent fournir de bons sujets de dessin, tandis qu'ils se reposent ou vaquent à leurs occupations. Le ménage, le repassage ou la cuisine sont souvent très intéressants à dessiner. Bon nombre de grands artistes ont dessiné leurs époux ou épouses en train de dîner ou de prendre un bain.

Heureusement pour les artistes, les modèles «domestiques» peuvent aujourd'hui poser en regardant la télévision, mais essayez de trouver des poses autres qu'assises ou allongées, si le sujet se montre coopératif. Cherchez à dessiner ce que le modèle ferait en temps normal, comme prendre un bain, jouer d'un instrument ou faire la sieste. Ce sont des situations de la vie réelle qui peuvent se révéler bien plus jolies sur le papier qu'une pose académique en atelier.

Testez vos effets de lumière en vous servant de lampes orientables, de bougies ou de lampes de chevet ordinaires pour donner à la scène davantage de puissance. Utilisez tous les accessoires dont vous disposez: rideaux, miroirs, coussins ou oreillers pour ajouter de l'intérêt et de la couleur.

Ci-contre : *Ce dessin au fusain ne manque pas de punch. Il s'agit de la mère de l'artiste, entièrement absorbée par son repassage. Quelqu'un qui repasse est un bon sujet de dessin car, bien que la silhouette ne cesse de bouger, elle répète toujours les mêmes mouvements. On constate combien la planche et le fer font quasiment partie intégrante du modèle.*

Ci-dessous et à droite : *Ces deux portraits, à la fois sincères et délicats, concernent des amies de l'artiste. Celui de droite est exécuté au crayon, l'autre au crayon Conté. Les modèles posent de façon naturelle et on leur a sûrement permis de regarder la télévision ou d'écouter la radio pendant la pose, car ces dessins ont dû exiger un certain temps de réalisation.*

Ci-contre : *Pensez aux différents angles sous lesquels vous pouvez étudier votre sujet. Ici, l'artiste s'est installé sur le côté, ce qui lui a permis de réussir le profil de la tête. Dessin au crayon Conté.*

ENFANTS ET BÉBÉS

Ce sont peut-être les sujets qui posent le plus de problèmes; ils ont tôt fait de se lasser et gigotent sans cesse, quoi que vous leur ayez promis. Le secret, c'est de travailler vite et de façon répétée, et d'avoir tout son matériel sous la main avant de commencer.

L'idéal, c'est de dessiner les enfants lorsqu'ils regardent la télévision, jouent, lisent, dorment, ou même vous dessinent. Si vous vous lancez dans une oeuvre ambitieuse, mieux vaut vous débrouiller pour qu'ils posent à plusieurs reprises.

Lorsque vous dessinez des bébés, vous observerez que leur tête est très large en comparaison avec le reste du corps, que leur cou est relativement mince et fragile. En outre, leurs joues sont rebondies, leurs lèvres proéminentes pour leur permettre de sucer plus facilement.

Chez les enfants, ces rondeurs sont toutefois moins affirmées à mesure qu'ils grandissent.

Ci-dessus : *J'ai dessiné au crayon Conté ce garçon du Bangladesh, âgé de dix ans. Il a posé patiemment pendant une bonne demi-heure.*

Ci-contre : *James Mealing a rapidement esquissé ce jeune garçon au crayon, pendant son sommeil.*

Ci-dessus : *Dessin d'un nourrisson dans son couffin, exécuté à l'un des rares moments où un bébé est vraiment éveillé et se tient tranquille. J'ai eu la chance de pouvoir saisir son regard très expressif qui, pour moi, devint le centre d'intérêt du dessin. Réalisé au pastel sur papier Ingres bistre.*

Ci-contre : *Dessin de trois écolières, réalisé au pastel et au crayon Conté. Je leur ai d'abord demandé de poser ensemble pendant cinq minutes, puis dix minutes chacune à tour de rôle pour soigner les détails. J'ai ajouté le couloir d'école pour situer le décor.*

LA MÈRE ET L'ENFANT

Ici, j'ai directement travaillé au pastel, en me plaçant devant le modèle et son petit garçon. Cela fait partie d'une série de dessins que j'ai dû exécuter à toute vitesse car le bébé et la mère remuaient sans cesse.

Ci-contre : *Première esquisse d'un dessin de ma soeur avec son enfant. Comme je travaillais sur papier Ingres bleu, j'ai utilisé un pastel dont le ton trancherait aussitôt. Dans un premier temps, il m'a fallu tracer les grandes lignes pour avoir une vue d'ensemble. A ce stade, je ne me soucie pas du détail.*

J'ai fait plus d'une vingtaine de dessins sur une période de trois jours. Certains ont réussi, d'autres non. Dans ce type d'approche rapide, il faut forcément choisir les meilleurs et j'ai sélectionné dix dessins.

Le pastel semblait tout indiqué, ce matériau assurant une couverture rapide du papier tout en offrant une douceur dans le trait et la couleur.

J'ai gardé tout mon matériel à portée de main, afin de pouvoir suivre la mère et l'enfant n'importe où. Cette méthode requiert une intense concentration; on travaille quasiment comme un photographe qui attend l'instant propice pour saisir son sujet sur le vif.

Ci-dessus : *A u stade de la coloration, il m'a fallu travailler très vite, car la mère et l'enfant remuaient sans cesse. J'ai rapidement disposé mes couleurs de base, en m'attachant à faire disparaître les zones laissées en blanc.*

Ci-dessus : *Une fois achevé, mon dessin témoigne de sa rapidité d'exécution, ce qui lui donne son dynamisme. J'espère avoir su capter un instant d'intimité entre la mère et son enfant.*

LES PERSONNES ÂGÉES

Elles offrent de fabuleux sujets de dessin. Leurs visages sont empreints de caractère et elles se montrent souvent patientes, sans doute parce qu'elles ont du temps libre. Sachez cependant qu'elles se fatigueront plus facilement que des modèles plus jeunes.

L'une des caractéristiques d'un visage âgé, c'est le front proéminent, du fait que les traits se resserrent. (C'est exactement l'inverse chez l'enfant, où le front se résorbe sous les rondeurs). Ce qui fait davantage ressortir la forme du crâne et accuse les creux du visage. La ligne des mâchoires a tendance à s'affaisser, à cause d'une dentition moins abondante. Bizarrement, les oreilles demeurent fermes et paraissent plus grandes.

Les épaules des personnes âgées s'inclinent, leur corps se rétrécit et tend à se voûter. Leurs mains semblent prendre de l'importance, alors que la masse de l'avant-bras et des épaules disparaît.

Observez attentivement la peau. Prenez soin de ne pas dessiner les rides à tort et à travers, sinon celles-ci ne ressembleraient qu'à d'horribles entailles.

A droite : *Portrait au fusain, utilisant astucieusement les vêtements pour traiter la silhouette. Le trait léger traduit l'humeur détendue du modèle.*

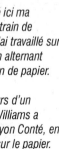

Ci-dessus : *J'ai dessiné ici ma grand-mère, assise, en train de regarder la télévision. J'ai travaillé sur un carnet de croquis, en alternant mine de plomb et crayon de papier.*

Page de droite : *Au cours d'un voyage au Népal, Dan Williams a réalisé ce dessin au crayon Conté, en le frottant par endroits sur le papier. Les vêtements semblent démesurés et le visage paraît fragile. L'effet est saisissant de vérité.*

AU GYMNASE

Les salles de sport constituent une mine de renseignements pour le dessin de figures. Devant vous, des sujets potentiels exécutent tous les mouvements pénibles qu'un modèle professionnel acceptera rarement d'accomplir.

Dans un gymnase, vous pouvez étudier bon nombre de types physiques qui, souvent, répètent les mêmes mouvements, ce qui facilite leur dessin. Vous découvrirez aussi que la plupart des gens qui s'entraînent dans ces salles de sport sont fiers de leur corps et ravis de poser pour vous!

J'ai pratiquement passé un an dans cette salle, et pendant tout ce temps, j'ai pris des centaines de photos et réalisé encore davantage de croquis. Il s'agissait surtout de petits dessins gestuels au pastel. Les compositions plus grandes et plus élaborées furent exécutées en atelier, comme celle dont je décris l'évolution ici.

Ci-dessus: *J'ai d'abord griffonné l'idée de base de la composition aux pastels jaune et blanc.*

Puis, **dessin de droite,** *j'ai travaillé sur des zones plus importantes. Celles-ci donnaient déjà une idée du résultat final.*

Enfin, **page de droite,** *j'ai peaufiné les détails au pastel et au crayon Conté. Ceci m'a permis de modeler et de sculpter les zones colorées pour leur donner volume et réalisme.*

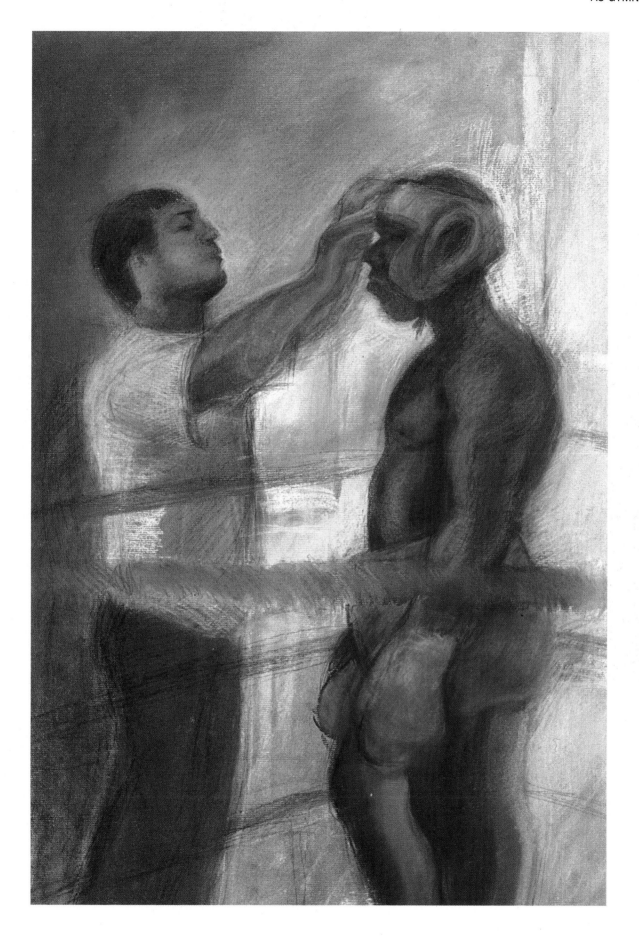

LA DANSE ET LE MOUVEMENT

Si l'occasion se présente d'aller dessiner des danseurs lors d'une répétition, l'artiste est mis au défi de croquer la vitalité, la grâce et la beauté du corps humain en mouvement.

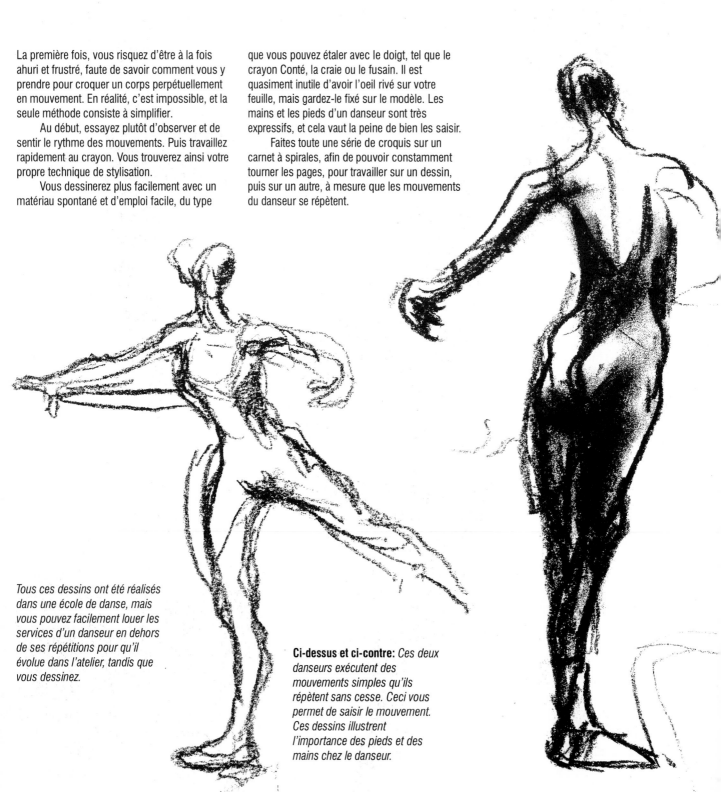

La première fois, vous risquez d'être à la fois ahuri et frustré, faute de savoir comment vous y prendre pour croquer un corps perpétuellement en mouvement. En réalité, c'est impossible, et la seule méthode consiste à simplifier.

Au début, essayez plutôt d'observer et de sentir le rythme des mouvements. Puis travaillez rapidement au crayon. Vous trouverez ainsi votre propre technique de stylisation.

Vous dessinerez plus facilement avec un matériau spontané et d'emploi facile, du type

que vous pouvez étaler avec le doigt, tel que le crayon Conté, la craie ou le fusain. Il est quasiment inutile d'avoir l'oeil rivé sur votre feuille, mais gardez-le fixé sur le modèle. Les mains et les pieds d'un danseur sont très expressifs, et cela vaut la peine de bien les saisir.

Faites toute une série de croquis sur un carnet à spirales, afin de pouvoir constamment tourner les pages, pour travailler sur un dessin, puis sur un autre, à mesure que les mouvements du danseur se répètent.

Tous ces dessins ont été réalisés dans une école de danse, mais vous pouvez facilement louer les services d'un danseur en dehors de ses répétitions pour qu'il évolue dans l'atelier, tandis que vous dessinez.

Ci-dessus et ci-contre: *Ces deux danseurs exécutent des mouvements simples qu'ils répètent sans cesse. Ceci vous permet de saisir le mouvement. Ces dessins illustrent l'importance des pieds et des mains chez le danseur.*

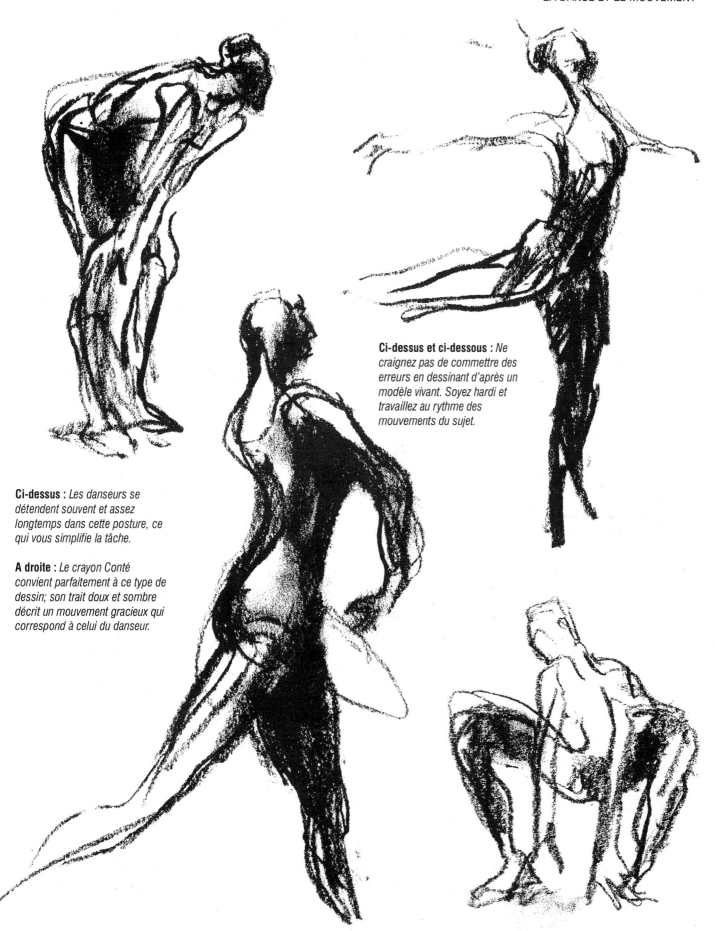

Ci-dessus et ci-dessous : *Ne craignez pas de commettre des erreurs en dessinant d'après un modèle vivant. Soyez hardi et travaillez au rythme des mouvements du sujet.*

Ci-dessus : *Les danseurs se détendent souvent et assez longtemps dans cette posture, ce qui vous simplifie la tâche.*

A droite : *Le crayon Conté convient parfaitement à ce type de dessin; son trait doux et sombre décrit un mouvement gracieux qui correspond à celui du danseur.*

VÊTEMENTS ET DRAPÉ

Si l'on dessine les gens qui nous entourent, il faut s'habituer à dessiner des modèles vêtus. Mais les vêtements et le drapé peuvent poser problème, surtout lorsqu'on a l'habitude de dessiner des nus. Le vêtement doit être considéré comme un élément essentiel de la figure.

Autrefois, dans les écoles de dessin, on étudiait le drapé à part, puis on l'«ajoutait» en quelque sorte à la figure. Heureusement, il fait aujourd'hui partie intégrante du sujet et on ne l'aborde plus de façon artificielle.

En faisant poser un modèle vêtu, vous observerez combien le corps modifie la forme des vêtements. Ceux-ci peuvent aussi entraver quelque peu les mouvements, et on s'en aperçoit dans les dessins présentés ici.

On peut aussi louer des costumes auprès de compagnies théâtrales ou de certaines boutiques, et c'est très amusant de les dessiner.

Souvent, ils modifient complètement celui ou celle qui les portent. Vous pouvez même aller jusqu'à dessiner des gens en uniforme. Je me suis trouvée un jour dans un atelier où l'on avait persuadé le pompier du coin à poser pour les élèves, botté, casqué et sa hache à la main.

Vous pouvez toujours trouver des gens en uniforme dans leur environnement naturel: policiers, serveurs, facteurs, soldats, infirmières, prêtres et portiers d'hôtel. Le vêtement les transforme et leur confère à tous une certaine autorité. En étudiant une personne en uniforme, on étudie aussi comment le costume peut la métamorphoser.

Ci-dessus : *La silhouette trapue de cet homme dans un bistrot est renforcée par son volumineux costume. Les cafés fournissent d'intéressants sujets d'étude pour le drapé.*

A gauche et à droite : *Ces deux dessins sont tirés d'une série où je me suis croquée en train de m'habiller. Je m'observais dans une glace en pied, puis dessinais aussitôt au crayon ce que j'avais vu. Ce genre de croquis sur le vif vous apprend à observer attentivement les figures.*

Ci-dessus et image du haut :
Dessins de costumes réalisés au crayon. L'atelier avait loué un costume de théâtre pour le modèle.

Ci-dessus et ci-contre : *Le costume d'époque affecte souvent l'attitude du modèle. Il posera et se déplacera différemment en le portant.*

A gauche et à droite :
Voici encore deux autres dessins dans la série d'autoportraits que j'ai réalisés. Les vêtements d'hiver limitent souvent les mouvements; ceci est clairement illustré par ces dessins où l'on suit les stades de l'habillement depuis la nudité jusqu'à la tenue complète.

EN EXTÉRIEUR

Le dessin de figures peut se pratiquer partout où l'on trouve des gens. Au zoo, où la présence conjointe d'humains et d'animaux est fascinante; au jardin public, où les gens promènent leur chien, font du canot ou restent assis sur un banc; au marché, au cirque, dans un dancing, à l'usine ou sur un chantier. La liste est inépuisable. Cette partie traite de certains lieux, en abordant les problèmes qui peuvent se poser. Contrairement au photographe, l'artiste est plutôt bien accueilli. Soyez toujours aimable et précisez aux gens que vos dessins n'ont pas d'autre objet que votre propre travail, car vous pouvez parfois leur paraître suspect. Dessiner en public présente aussi un autre risque, celui d'être entouré d'un océan de badauds. En général, une brève explication satisfera leur curiosité et ils auront tôt fait de vous laisser en paix.

LES PRÉPARATIFS

Si vous avez prévu d'aller dessiner en extérieur, une préparation judicieuse s'impose. Il suffit d'oublier un crayon particulier et voilà votre expédition gâchée.

Quand je me prépare, je réfléchis toujours à la façon dont je vais m'habiller. Fera-t-il chaud ou froid? La plupart du temps, emportez un chapeau pour vous protéger du froid comme du soleil.

Un vieux manteau avec plusieurs poches fera l'affaire, et prévoyez un chandail supplémentaire. Il pourra toujours servir de coussin s'il fait doux.

Un pliant confortable se révèle fort utile. Allez donc jeter un oeil dans les boutiques de chasse et pêche.

Il existe toute une variété de chevalets de campagne, mais je préfère dessiner sur une planche posée sur les genoux. Je n'aime pas at-tirer l'attention et les caprices du climat anglais m'ont dissuadée d'utiliser un chevalet.

Je prends toujours un sac en bandoulière pour transporter crayons, chiffons, cutter, gommes, pastels et pinces; celles-ci étant indispensables pour maintenir vos dessins.

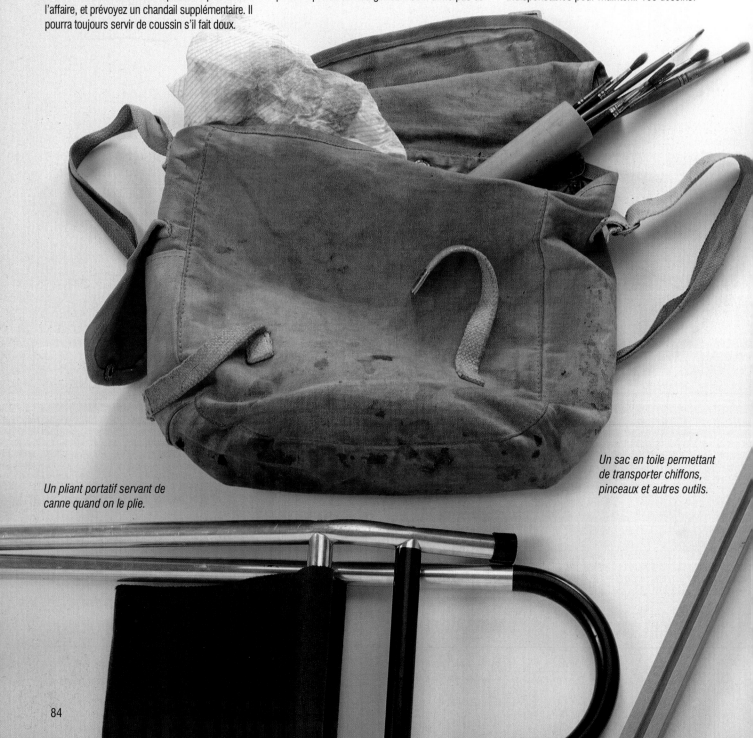

Un pliant portatif servant de canne quand on le plie.

Un sac en toile permettant de transporter chiffons, pinceaux et autres outils.

Une vieille boîte à cigares avec des pastels et une palette pour mélanger les couleurs.

Ci-dessous : *Une éponge, une gomme malléable, un crayon-gomme, un cutter, un carnet de croquis à spirales, divers crayons et porte-plumes, un flacon d'encre et une grosse pince, tels sont les outils dont vous aurez besoin pour travailler en extérieur.*

Un chevalet de campagne.

LE CARNET DE CROQUIS

Il rassemble souvent les travaux les plus spontanés et les plus intimes
d'un artiste. Qu'il soit sculpteur, dessinateur ou peintre,
l'artiste en a toujours un dans la poche ou le sac,
qu'il s'agisse de noter des couleurs
ou de faire des schémas de compositions.

Gardez-en toujours un sur vous, car vous ne
savez jamais quand l'envie de dessiner vous
prendra. Cela peut se produire en allant travailler
ou en faisant vos courses.

Un bloc à dessin est indispensable lorsque
vous travaillez à l'extérieur; vos dessins sont
ainsi protégés par les autres pages et tenus
entre eux grâce à la reliure. En outre, un bloc
doté d'une couverture rigide vous dispense
d'une planche à dessin lourde et encombrante.

Vous pouvez en fabriquer un vous-même
en cousant simplement des feuilles de papier.
Libre à vous d'en choisir le grain, la couleur et
l'épaisseur.

Sinon, vous en trouverez de toutes sortes
dans les boutiques spécialisées, du plus grand
au modèle de poche. J'utilise en général les
blocs à spirales, car mes croquis correspondent
souvent aux dessins achevés et j'aime pouvoir
les détacher facilement.

Evitez de travailler au verso d'un dessin,
sinon vous risquez d'abîmer celui-ci.

Ci-dessus : *Etude très rapide au
fusain. La pose n'a pas dû excéder
quatre minutes.*

Ci-contre : *Etude de deux profils
différents. Ce genre de croquis faits
sous l'impulsion du moment force
l'oeil à travailler simultanément avec
la main.*

Ci-contre : *L'artiste a réalisé ce dessin sur un carnet de croquis, pendant que l'orchestre répétait. Ayant peu de matériel sur lui, il a pu s'approcher des musiciens.*

Ci-contre : *Croquis au pinceau et à l'encre. Idée préliminaire d'un travail plus ambitieux.*

Ci-dessus : *Second croquis de la série consacrée à l'orchestre. Vue plus éloignée de l'ensemble, réalisée au crayon.*

Ci-dessus : *Un autre dessin de la série sur les musiciens. On voit ici comment le carnet peut servir à rassembler différents croquis sur un même sujet, ceux-ci pouvant servir plus tard à un travail plus ambitieux, comme un tableau.*

A gauche : *Dessin réalisé en atelier, pour servir de modèle à une oeuvre future.*

Ci-contre : *Dernier de la série sur l'orchestre. Dessin plein de vie du chef et des musiciens en train de jouer.*

Ci-dessus : *Détail d'une oeuvre, exécuté au crayon Conté sur un grand bloc à dessin.*

LA GESTUELLE

En vous hasardant au dehors pour dessiner vos semblables, vous serez déconcerté par le fait qu'ils remuent sans cesse. Même poliment, vous ne pouvez guère demander au camionneur que vous croquez qu'il se tienne tranquille! Dessinez ce que vous voyez et comme cela se présente.

Certains de ces dessins furent réalisés en atelier, en guise d'entraînement à la vitesse. Ceux du maître de chapelle furent exécutés lors d'une répétition de gospels.

Dessiner la gestuelle requiert énormément de patience et de pratique. Mais sachez que seule l'attitude de votre personnage importe et non pas la fidélité rigoureuse à son anatomie qui, souvent, peut nuire à la force d'un dessin croqué sur le vif.

Vous découvrirez que les gens répètent souvent les mêmes gestes. En les observant bien, vous finirez par trouver une autre occasion. A force de concentration, vos dessins vous sembleront étonnants de précision.

N'utilisez pas de matériau compliqué pour dessiner à l'extérieur, car vous n'aurez jamais le temps d'attendre qu'un lavis sèche, par exemple, ou même de tailler votre crayon. Assurez-vous d'être tout à fait prêt avant de commencer.

Page de gauche, petite image : *Charmant dessin sans fioritures du modèle qui s'étire après la pose.*

Ci-contre, page de gauche : *Le modèle se pavanait au ralenti, afin que l'artiste puisse facilement dessiner à l'encre ses mouvements. Notez qu'il n'a pas craint de faire des pâtés, ceux-ci ne nuisant pas à la qualité du dessin.*

Ci-dessus : *Dans ces deux dessins, le modèle vêtu a pris la pose en gardant ses gestes en suspens. Ces études furent réalisées aux crayons EE et EB.*

Ci-contre : *Voilà un dessin sur le vif ! J'ai saisi les mouvements de ce fantastique maître de chapelle au pastel «pierre noire» et au lavis. Mes traits sont vifs car ses gestes ne l'étaient pas moins.*

LA RUE

Vous trouverez toute une palette de personnages «vivants» dans votre quartier. Les carrefours ou les coins de rue sont d'excellents endroits. Observez les gens aux arrêts de bus, ceux qui sont chargés de paquets, ceux qui bavardent sur le pas de la porte, les coursiers motorisés ou les balayeurs.

Un artiste qui dessine dans la rue est davantage exposé à la curiosité des passants qu'en d'autres lieux, agissez donc en conséquence.

Pour ma part, je m'adosse à un mur, si bien que les gens ne peuvent pas se placer derrière moi pour me regarder travailler (de quoi en dérouter plus d'un). N'emportez pas trop de matériel car vous risquez d'être obligé de déguerpir assez vite — pour des tas de raisons. Quoi qu'il en soit, il vous faut travailler rapidement, évitez donc les outils délicats et lents à manier.

Je prends souvent des clichés, avec mes dessins, afin d'y ajouter le décor plus tard, quand j'aurai du temps.

Ci-dessous: *A Londres, les punks font partie du paysage urbain. Ils poseront souvent pour vous car ils sont très fiers de leur apparence.*

Ci-dessus : *Dessin au fusain plaçant les figures dans un contexte urbain, chaussée, barrières de sécurité et bus compris.*

Page de gauche : *Juifs orthodoxes à Jérusalem, vaquant à leurs occupations quotidiennes. Bien qu'il s'agisse de croquis sur le vif, chacun a été soigneusement disposé sur la feuille.*

A droite : *Scène de rue au Caire, traduisant bien l'atmosphère chaotique qui y règne. Les gens participent au décor urbain avec ses véhicules et son mobilier, tels les kiosques, statues, lampadaires et autres feux rouges.*

LE SPORT

Les événements sportifs sont une formidable source d'inspiration,
car souvent très hauts en couleur et les athlètes
y prennent parfois des poses étonnantes.

Il est fascinant d'observer le corps humain poussé jusqu'aux limites de ses possibilités et il est très stimulant d'essayer de croquer une figure en harmonie avec un équipement mécanique ou des chevaux. Mais ce genre de situations présentent de réels problèmes pour l'artiste.

Le premier auquel vous aurez à faire face, c'est de saisir sur le vif des athlètes évoluant à la vitesse de la lumière. Il se peut même que vous soyez fasciné par ce que vous voyez, au point d'en oublier de le dessiner! Pour surmonter ces difficultés, rendez-vous le plus souvent possible à une compétition en particulier, pour vous familiariser à la gestuelle de vos modèles. Vous pourrez ensuite sélectionner votre sujet et vous concentrer sur votre choix.

Il est évidemment plus difficile d'assister à des compétitions professionnelles, préférez-leur donc celles qui réunissent des amateurs. Avantage non négligeable: un amateur verra moins d'inconvénient à être dessiné. Pour croquer les pros, il est d'usage de leur demander la permission par écrit et vous avez sans doute mieux à faire.

Ci-contre : *Dessin d'un boxeur «boxant à vide» dans une glace, réalisé très rapidement, comme ce genre de situations l'impose souvent. Pastel sur papier Ingres.*

Ci-dessus : *Dessin d'un boxeur poids-lourd à l'entraînement, réalisé au crayon Conté. Ces dessins sont tous deux les fruits de longues heures d'observation, et font partie d'une série qui dépasse la soixantaine de croquis.*

Ci-contre : *Les skieurs novices sont plus faciles et plus drôles à dessiner que les experts qui, eux, filent à toute allure et prennent leur sport au sérieux. Cette série au crayon démontre qu'une simple esquisse de l'équipement suffit. Hormis les skis, l'artiste s'est attaché à un minimum de détails, comme le bonnet; c'est ce qui rend ces dessins humoristiques et fort éloquents.*

Ci-dessous : *Un athlète qui saute à la corde demeure étonnamment stable, car il saute si vite que seule la corde semble remuer. Notez l'utilisation du pastel pour souligner la silhouette et suggérer la peau des bras, et la façon dont la corde est à peine esquissée, tel un vague halo autour du corps.*

LES MUSICIENS

Ce sont de fabuleux sujets de dessin, car leurs gestes et les traits de leur visage sont très expressifs. Si vos dessins sont bons, vous devriez pouvoir dire si le modèle joue du Beethoven ou du Count Basie!

Vous pouvez rencontrer des musiciens quasiment partout, et pas seulement dans les salles de concert, mais aussi dans le métro, les galeries marchandes et parmi les groupes pop amateurs qui «font le boeuf» dans un garage.

Dans les concerts publics, vous avez un avantage sur les photographes qui, eux, sont rarement admis.

Peu importe si l'éclairage est tamisé et si vous dessinez dans la pénombre — en observant bien votre sujet, vous serez surpris de constater combien le modèle a pris vie sur le papier, une fois la lumière revenue.

J'adore dessiner dans les clubs de jazz, à cause de l'éclairage si théâtral; les musiciens y ont beaucoup de personnalité, l'action y est très concentrée et l'ambiance intime. En général, on vous laisse facilement dessiner pendant les répétitions d'un orchestre, à condition de ne pas faire de bruit. Les gros crayons qui écorchent le papier sont donc à bannir!

Fiddler - Pathan

Dessin à la plume d'une fanfare militaire dans St James' Park, à Londres. Ce genre de scène étant peu animée, l'encre et la plume peuvent s'utiliser. Au second plan, les silhouettes sur les chaises longues permettent de rendre l'atmosphère nonchalante d'une journée d'été.

Page de gauche, en bas à gauche : *Dessin au crayon du tromboniste de jazz Al Grey, réalisé dans un club. J'ai dû le croquer très rapidement, car il remuait sans cesse au rythme de la musique. On aperçoit les traits légers, témoins de tous mes «faux départs»! Ne vous souciez pas de ces petites erreurs, elles peuvent ajouter un élément d'intensité à l'atmosphère enfiévrée du dessin.*

Page de gauche, en bas à droite : *Violoniste dessiné au crayon. Il est essentiel de placer correctement l'instrument par rapport au corps.*

Ci-contre : *Portrait attendrissant d'un musicien népalais au crayon Conté, étalé par endroits au chiffon. A l'évidence, l'homme a posé et l'artiste a soigné certains détails. Les mains sont un élément majeur chez un musicien et doivent être dessinées avec précision.*

LES PARCS

Ce sont d'immenses théâtres où se déroulent toutes sortes d'activités;
des enfants barbotant dans un bassin aux sportifs qui font leur jogging,
en passant par les amoureux, les musiciens
ou les vieillards assis au soleil.

Le décor créé par le ciel et la verdure peut suggérer une foule de compositions, avec sans doute plusieurs figures. D'ordinaire, il y a de nombreux endroits où vous pouvez vous asseoir et installer votre attirail, mais évitez les coins trop tranquilles. L'expérience m'a montré que certains individus malveillants errent dans les jardins publics et mieux vaut vous tenir auprès de gens, à un endroit où vous ne risquez rien. Vous vous sentirez bien plus à l'aise pour travailler. Le conseil vaut pour toutes vos escapades à l'extérieur, bien sûr.

Ci-contre : *Dessin à la plume et au lavis d'aquarelle, réalisé dans l'immense parc de Versailles, où l'on confond souvent les statues avec de vrais individus! Ce dessin a exigé un certain temps d'exécution.*

Ci-dessous : *Celui-ci, en revanche, fut exécuté en quelques minutes. Cet homme d'affaires vient régulièrement déjeuner dans le parc.*

St James' Park Looking Towards Horse Guards

Ci-dessus : *Groupes d'individus profitant d'une journée d'été dans St James' Park, à Londres. Le bâtiment à l'arrière-plan et les arbres splendides permettent de situer le lieu.*

Ci-dessus et à droite : *Bon nombre de personnes viennent prendre l'air dans un jardin public. Le lieu est tout indiqué pour trouver des sujets. Celui ci-dessus fut exécuté au crayon et celui ci-contre au pinceau et à l'encre.*

Ci-dessus : *Dessin sur le vif d'un vacancier qui prend une photo. Le sac permet de l'identifier comme touriste.*

LE MARCHÉ

Les marchés sont intéressants pour l'animation et la bousculade qui y règnent. On y croise des tas de gens qui vont et viennent sans se soucier du reste.

A gauche : *Croquis sur le vif qui a servi de modèle pour le dessin définitif (page de droite). J'ai décidé de conserver la silhouette au premier plan en modifiant le contexte. Ce croquis est plus rapide et moins maîtrisé que le dessin final, mais sachant qu'il ne s'agissait que d'un modèle, je n'ai pas soigné les détails.*

A droite : *Après avoir campé le décor dans ses grandes lignes, j'ai étalé le pastel puis j'ai travaillé les détails en dessinant dessus. Au fur et à mesure, j'ai adouci les tons qui me semblaient trop criards et artificiels et j'ai légèrement déplacé la figure au premier plan. Ceci pour vous montrer combien les pastels sont maniables si vous n'appuyez pas trop fort au départ.*

Dans ce pastel qui représente Electric Avenue, au sud de Londres, j'ai pris la figure d'un croquis fait sur le vif près du marché, en la plaçant dans un autre contexte.

Lorsque vous serez plus expérimenté, il se peut que vous souhaitiez assortir vos figures au décor d'un autre dessin. Vous commencerez véritablement à «composer un tableau».

Ci-dessous : *Voici l'oeuvre finale. La figure au premier plan s'insère parfaitement dans le nouveau décor et tranche avec les formes vagues de l'arrière-plan. Le crayon Conté et le pastel blanc ont servi à rehausser les couleurs, notamment dans les nuages, les ampoules électriques, et pour faire ressortir le jaune de l'étalage de fruits, à gauche. Je n'ai pas cherché à souligner les détails avec précision, car cela aurait nui à la dynamique de l'original.*

DESSIN D'APRÈS SCULPTURE

Vous n'y avez sans doute pas songé mais dessiner d'après sculpture
peut se révéler très formateur. Vous pouvez trouver l'inspiration
dans les monuments publics ou les sculptures des parcs
et des musées.

Ci-dessus : *Figure monumentale dessinée devant le Palais de Chaillot, à Paris. Les zones sombres furent réalisées au crayon «pierre noire» en frottant celui-ci sur le papier avec un chiffon, puis en redessinant dessus. Ce n'est qu'un détail de la statue qui, vue de près, est énorme. On devine ici l'aspect massif de la pierre, qui contraste avec la vigueur de la figure de Rodin, à gauche.*

A gauche : *J'ai dessiné cette maquette de Rodin à la plume et à l'encre, au musée Rodin, à Paris. Pour créer l'ombre, j'ai étalé l'encre avec le doigt. Je souhaitais traduire dans mon dessin toute l'énergie et la fougue du modèle. Cela m'a donné des idées de pose pour l'atelier.*

Ce qui pousse à dessiner d'après sculpture, c'est surtout que les modèles ne remuent jamais! C'est tout aussi fascinant de voir comment le sculpteur a traité les formes, le volume et l'expression. J'ai beaucoup appris en étudiant la sculpture.

En sculpture, vous dessinez un objet en trois dimensions, autour duquel vous pouvez vous déplacer. A vous de choisir plusieurs angles et de faire votre propre composition.

Gardez à l'esprit le matériau qui a servi à fabriquer la statue. En la dessinant, faites en sorte qu'on sache bien qu'il s'agit d'une sculpture et non d'un modèle vivant. En cherchant à le rendre «réel», vous obtiendrez un résultat étrangement rigide.

Ci-contre : *Statue de saint Georges par Donatello, au Victoria and Albert Museum. J'ai mis beaucoup de temps à traduire son expression à la fois déterminée et légèrement féroce. J'ai senti que le poignet droit à peine serré était significatif et qu'il fallait le dessiner avec soin.*

Ci-dessus : *Ces deux visages de femmes se trouvent également au Victoria and Albert Museum. Ce jour-là, je n'avais qu'une pointe Bic sur moi, ce qui, curieusement, m'a permis de bien détailler ces visages admirablement sculptés. J'ai laissé du blanc à certains endroits pour mettre l'accent sur la beauté de ces deux profils.*

STOCKAGE ET EXPOSITION

Cet ouvrage traitant du dessin de figures, je ne vais pas m'attarder sur l'encadrement. Le sujet a déjà fait l'objet de nombreux livres. Je pense qu'il serait plus utile de vous conseiller sur la façon dont vous pouvez exposer et ranger vos oeuvres. Une fois vos séances terminées, vous allez sans doute vous retrouver avec beaucoup de dessins, certains réussis, d'autres moins. La plupart ne vaudront pas la peine d'être encadrés, mais vous pouvez très bien vouloir les garder. Vous trouverez ici des idées et conseils pour les conserver.

Si vous êtes négligents, vos dessins peuvent très vite se détériorer. Mais si vous en prenez soin, ils seront, des années durant, une source de plaisirs pour vous et vos amis.

PRENEZ SOIN DE VOS DESSINS

Au bout d'un certain temps, vous souhaiterez les conserver. Voici quelques tuyaux tout simples et peu onéreux.

S'il s'agit de dessins au fusain, au pastel, au crayon Conté ou au crayon de papier, ils doivent être soigneusement fixés. Vaporisez-les avec un fixatif, à une bonne vingtaine de centimètres de la feuille; évitez les aérosols.

Après cette opération, un dessin n'est pas complètement protégé. J'aime bien recouvrir les dessins d'une feuille de papier de soie ou de papier typographique, car le matériau s'effrite toujours un peu, surtout si les dessins sont stockés à plat, l'un sur l'autre, même s'ils sont soigneusement entreposés dans un tiroir ou dans une armoire à plans.

Le meilleur moyen de les garder propres et d'éviter qu'ils gondolent, c'est de les ranger dans des cartons à dessin ou dans des classeurs à feuillets plastiques, comme ceux dont se servent les photographes. On trouve ceux-ci dans des tailles plus petites que les cartons à dessin. Ainsi, vous pourrez facilement exposer vos oeuvres sans pour autant les salir.

Selon moi, l'encadrement doit être le plus sobre possible. Un bon cadre doit attirer l'oeil sur un tableau et ne pas le distraire avec toutes sortes de fioritures. Ce ne sont pas celles-ci qui vont embellir votre dessin.

On trouve des cadres prêts à l'emploi dans le commerce. Le gros inconvénient, c'est qu'ils vous limitent aux dimensions du fabricant. Le meilleur moyen, c'est sans doute de vous adresser à un professionnel, ainsi vous pourrez choisir la dimension et la moulure qui conviennent le mieux à vos dessins. En outre, s'il s'agit d'un pastel ou d'une oeuvre au fusain, assurez-vous que la surface de votre dessin soit protégée du verre par un carton de montage (passe-partout).

On trouve plusieurs types de classeurs prévus pour que les feuilles ne s'abîment pas, restent propres et ne gondolent pas. Un classeur portable, doté d'une fermeture à glissière et d'une poignée, se révèle très pratique et sûr. Les cartons à dessin possèdent une couverture solide et se ferment au moyen de rubans.

Voici deux possibilités d'encadrement. Le grand cadre a été fabriqué par un professionnel, dans un bois lisse et non teinté, avec un passe-partout. Sinon ,vous pouvez encadrer vous-même vos dessins en utilisant un cadre à pinces.

GLOSSAIRE

Angle de vision
L'endroit où se place l'artiste pour étudier le sujet.

Antagonistes
Terme qualifiant les muscles qui travaillent en opposition l'un l'autre. Le triceps et le biceps, par exemple, sont des muscles antagonistes; quand l'un se contracte, l'autre se relâche.

Articulation
Souplesse ou mouvement du corps à la jointure entre deux os.

Axes
Lignes horizontales principales de la plastique humaine; elles comprennent la ligne médiane des épaules, celle de la taille, des hanches, des genoux et des chevilles. Lorsqu'un des axes s'incline, il entraîne automatiquement le mouvement d'au moins un des autres axes, afin de rétablir l'équilibre.

Collage
Œuvre créée par l'assemblage et/ou la juxtaposition de divers matériaux sur un support.

Composition
Agencement esthétique et harmonieux des formes et des couleurs dans un dessin.

Contre-hachures
Technique permettant de réaliser des effets de tons par superposition de lignes parallèles, dessinées suivant des angles différents. Souvent utilisée pour ombrer et modeler la plastique.

Ebaucher
Mettre en place les formes et les zones de couleur principales d'un dessin, avant de travailler dans le détail.

Estompe
Désigne une sorte de crayon fabriqué à l'aide de papier entortillé, servant à fondre les pastels ou les couleurs réalisées au crayon tendre.

Fixer
Vaporiser un vernis sur un dessin pour éviter qu'il ne jaunisse et que le matériau employé ne se détériore.

Fondre des couleurs
Méthode servant à obtenir un dégradé subtil entre deux couleurs. On y parvient au moyen d'un solvant, comme l'eau ou l'essence de térébenthine, en frottant la feuille avec un chiffon ou une éponge, une estompe ou le doigt, ou bien encore en appliquant de la couleur sur la première couche pour faire disparaître le raccord.

Forme
Fait généralement référence à la plastique et au volume d'une personne ou d'un objet en trois dimensions.

Grain
S'applique à la texture du papier. Les papiers rugueux ou semi-grenés ont un grain plus fort que les papiers lisses.

Lavis
Large zone de couleur uniforme servant souvent de fond à un dessin. Concerne l'aquarelle ou l'encre, que l'on applique à l'éponge ou au pinceau. On l'emploie aussi pour les zones de pastels fondus.

Matériau
Elément utilisé pour dessiner ou peindre un tableau, tel que le crayon universel, le pastel, l'encre ou l'aquarelle.

Modeler
Dessiner ou peindre un objet ou une personne en délimitant les zones d'ombres et de lumière pour obtenir une image en trois dimensions.

Monotype
Technique d'impression consistant à peindre une image sur une plaque de verre ou de métal, puis de la reproduire sur une feuille de papier. La variante consiste à peindre une feuille avec de l'encre ou de la peinture, puis d'appliquer une seconde par-dessus et de dessiner au verso pour reproduire l'image inversée.

Nuancer
Consiste à éclaircir une couleur en y ajoutant du blanc.

Ombrer
Assombrir certaines zones d'un volume pour le modeler et créer la perspective aérienne. S'applique aussi aux nuances sombres d'une couleur, obtenues par l'adjonction de noir.

Passe-partout

Désigne le carton de montage délimitant les contours d'une oeuvre et séparant celle-ci du verre d'encadrement.

Perspective

Profondeur et espace d'une surface plane. La perspective linéaire concerne les parallèles convergentes que sont les lignes de fuite. La perspective aérienne s'appuie sur la progression des tons clairs pour suggérer la distance.

Pictural

A l'inverse de «graphique», ce terme désigne une oeuvre dont les contours ne sont pas clairement définis et où la couleur est appliquée librement.

Pressé à chaud

Fait référence au papier lisse dont la surface est passée entre deux cylindres chauffés.

Pressé à froid

Fait référence au papier à grain moyen dont la fabrication n'implique pas un passage entre deux cylindres chauffés.

Projection

On projette de la peinture sur le support en frottant le pouce sur une brosse trempée dans une couleur quelconque, ou en secouant celle-ci sur le support.

Quadrillage

Sert à la reproduction d'un dessin à une échelle moindre ou supérieure sur un autre support.

Raccourci

Concerne la déformation ou la réduction de la perspective obtenue lorsqu'un objet ou une personne se trouve dans une ligne quasi horizontale, par rapport au spectateur.

Règle d'or

Division d'une surface en deux parties: le rapport entre la surface totale et la plus grande partie est le même que celui entre la plus grande partie et la plus petite. Son expression mathématique est 8 divisé par 13 ou 0,618 divisé par 1. Il s'agirait de l'harmonie la plus parfaite en matière de proportions et on l'applique souvent inconsciemment en composant un tableau.

Rehauts

Les points les plus lumineux d'un dessin, obtenus en laissant le support en blanc ou en ajoutant du blanc sur la première couche de couleur.

Réserve

Technique qui consiste à isoler des zones non colorées, en appliquant en général un matériau qui ne se dilue pas dans l'eau, comme la cire ou le pastel gras, sur le support. Lorsqu'on applique ensuite un matériau dilué sur la réserve, il colore seulement les zones «non réservées».

Styliser

Réduire une forme à sa plus simple expression, à l'inverse d'une représentation réaliste.

Support

S'applique à la surface sur laquelle vous peignez ou dessinez, qu'il s'agisse de papier, de toile, de tissu ou d'un mur.

Tonalité

Densité d'une zone de couleur, du plus clair au plus sombre. Les tons se déclinent en degrés: clairs, moyens, demi-tons ou tons sombres.

Tons saturés au blanc

Terme qualifiant les tons clairs à faible densité, directement exposés à la lumière.

Transfert par perforation

Méthode pour reproduire un dessin sur un second support en perforant les contours à l'aiguille, une fois le dessin appliqué sur la surface prévue. On tamponne ensuite du fusain en poudre sur les contours, de sorte que les pointillés soient reproduits sur le support.

INDEX

ICONOGRAPHIE

Toutes les illustrations sont de Jane Stanton sauf les suivantes:
Andrew Baker, p.62, 63
Clare Buckle, p.3, 60HG, 61HG, 64G, D, 65, 90BG, 92BG
Jenoe Barcsay, p.13, 18G, D, 19, 20, 21, 22HG, D, HD, 24, 26B, 28BG
Ilsa Crapper, p.33B
Bernadette Coxon, p.8H, B, 37D, 46B, 46-47C, 47HD, 48D, 49HG, 69HG, 69B, HD, 86G
C. M. Dixon, p.8H, B
Peter Evans, p.74D, 43BD, 44H, 68HG
La Collection Burrell — Glasgow Museum and Art Galleries, p.10B — London (Princes Gate Collection), p.11H
John Hutchinson, p.16B, HG, HD, 17
Clare Jarrett, p.30HG, HD, BG, 34HG, HD, 35HG, B, 36HG, HD, BG, BD, 44BG, BD, 45HG, 81HG, HD, BD, 88BG, 89BD, 96BD
Château de Windsor © «Her Majesty the Queen», p.9H
James Mealing, p.70D, 87HD, 88HG, HD, 89HD, 92HD
British Museum, p.9B
Fitzwilliam Museum, p.11BG, BD
Daler and Rowney, p.5B, 14G, D, 56G, 58BG, 105, 106
Steve Tanner, p.14, 15, 39, 40-41, 42, 46-47, 48-49, 52-53, 84-85, 106-107
National Museum of Wales, p.10H
Dan Williams, p.33H, C, HD, B, 59HG, 75, 78-79, 80, 86B, 92BD, 93C, 95H, C, BD, 98BG, 99BG, BC, BD

Nous désirons remercier la société Windsor & Newton pour le prêt de leur équipement.
Les dessins de Jenoe Barcsay ont été reproduits grâce à l'autorisation de sa succession.